D1301787

KHALIL GIBRAN

L'auteur du *Prophète*

DU MÊME AUTEUR

A quoi rêvent les statues ? poèmes, Anthologie, 1988.

La honte du survivant, récits, Naaman, 1989.

Comme un aigle en dérive, nouvelles, Publisud, 1993 (Prix du Palais littéraire, 1994).

Les Exilés du Caucase, roman, Grasset, 1995 (Prix de l'Asie, 1996).

L'Astronome, roman, Grasset, 1997 (Prix France-Liban, 1997).

L'Ecole de la guerre, récit, Balland, 1999.

Athina, roman, Grasset, 2000.

Le Procureur de l'Empire, biographie, Balland, 2001.

Khiam, poèmes, Dar an-Nahar, 2001.

Le Crapaud, théâtre, FMA, 2001.

Lady Virus, roman, Balland, 2002.

ALEXANDRE NAJJAR

KHALIL GIBRAN

L'auteur du *Prophète*

Pygmalion
Gérard Watelet
Paris

Edition réalisée sous l'égide
d'Olivier Germain-Thomas

Sur simple demande adressée aux
Éditions Pygmalion/Gérard Watelet, 70, avenue de Breteuil, 75007 Paris
vous recevrez gratuitement notre catalogue
qui vous tiendra au courant de nos dernières publications.

Pour Ghada

« C'est peut-être le destin de Gibran de demeurer aussi longtemps, trop longtemps, dans le purgatoire des lettres, exilé comme il l'a toujours été. L'immortalité ne lui a pas été octroyée ; à sa manière il l'a conquise et inlassablement reconquise auprès de ses lecteurs. »

Amin Maalouf

PROLOGUE

Il y a une énigme Gibran. Depuis 1923, date de la parution de son chef-d'œuvre *Le Prophète*, son nom est célébré aux quatre coins du monde. En 1996, les ventes de ce livre-culte ont atteint, aux Etats-Unis seulement, neuf millions d'exemplaires. Traduit dans plus de quarante langues, dont une dizaine de fois en français, *Le Prophète* n'a jamais cessé de séduire un très large public. En Allemagne, son succès laisse pantois et, en Italie, l'édition en poche de ce livre a récemment figuré en tête des meilleures ventes. Dans les années soixante, les mouvements estudiantins et hippies avaient adopté cet ouvrage qui proclame sans ambages : « Vos enfants ne sont pas vos enfants, ils sont les fils et les filles du désir de la Vie pour elle-même [1]... » et, aujourd'hui encore, il n'est

1. Alexander Sutherland Neill avait placé cette phrase de Gibran en épigraphe à son fameux *Libres enfants de Summerhill,* paru en 1960, qui s'insurgeait contre un système social soucieux d'instruire au lieu d'éduquer.

pas rare que des extraits du *Prophète* soient lus à l'occasion de mariages ou de baptêmes. En prononçant sa fameuse phrase : « *And so, my fellow Americans, ask not what your country can do for you ; ask what you can do for your country* », John Fitzgerald Kennedy a repris la question de Gibran [1] : « Etes-vous un politicien qui se demande ce que peut faire son pays pour lui ? [...] Ou bien êtes-vous ce politicien zélé et enthousiaste [...] qui se demande ce qu'il peut faire pour son pays ? » Même les Beatles ne sont pas restés insensibles à l'œuvre de l'écrivain libanais puisque leur chanson *Julia* s'en inspire directement...

A part les monuments consacrés à l'artiste dans son pays natal (le musée Gibran, la place Gibran inaugurée en l'an 2000 dans le centre-ville de Beyrouth), il y a, un peu partout, des lieux, des statues, des plaques commémoratives qui saluent sa mémoire : aux Etats-Unis, il existe deux monuments dédiés à Gibran, l'un à Copley Square à Boston, l'autre à Washington, inauguré le 24 mai 1991 par George Bush qui prononça à cette occasion une allocution où il affirma : « Gibran est un symbole de paix... Poète et philosophe, il sut extraire "d'une goutte d'eau le secret de la mer". La poésie fut le langage par lequel il explora son âme et nous révéla la nôtre... Il nous attira là où nous n'étions pas habitués à nous hisser... » Le prestigieux Metropolitan Museum of Art de New York, le Fogg Art Museum, le Boston Museum of Fine Arts, le Newark Museum, le Telfair Museum of Art de Savannah en Georgie... possèdent plusieurs tableaux de l'artiste, et la communauté libanaise du Brésil a récemment inauguré un centre culturel baptisé « Gibran ».

Et pourtant... Pourtant, Gibran demeure absent de la plupart des dictionnaires et des ouvrages occidentaux qui traitent de l'histoire de la littérature. Pourquoi ? Cet ostracisme s'expliquerait selon Amin Maalouf – et son raisonnement se tient – par le fait que *Le Prophète* est un livre inclassable, qui échappe aux étiquettes. Ni roman, ni essai, ni poème... il n'entre dans aucune catégorie définie. Et son auteur est tout

---

1. Nigel Rees, *Quotations,* Cassell, 1997, p. 331.

aussi inclassable : écrivain arabe qui écrit en anglais, né au Liban et vivant aux Etats-Unis, à cheval entre Orient et Occident, Gibran déroute...

Nombre de livres, de thèses, d'articles lui ont été consacrés. A-t-on tout dit sur lui ? Sans doute pas : sa correspondance n'est pas définitive, et l'un de ses parents aux Etats-Unis (le sculpteur Kahlil Gibran) recèle probablement des documents encore inexplorés. Le présent ouvrage, qui met en lumière un certain nombre d'informations inconnues ou méconnues (comme les lettres de Gibran à Helena Ghostine ou les ordonnances de saisie contre sa famille), ne cherche pas à être exhaustif. Il entend plutôt retracer le parcours de l'artiste avec une simplicité proche de celle qui a caractérisé ses écrits et, extraits à l'appui, de rendre aussi claire que possible une pensée que beaucoup ont eu tendance à compliquer, sans doute pour donner à son œuvre une dimension philosophique qu'il ne revendiquait pas lui-même. « Les choses sont dites simplement, avec autorité. » Tel était le mot d'ordre de Gibran. Tel sera le nôtre.

1

BÉCHARRÉ

A l'est de la Méditerranée, là où se croisent trois conti-
nents et trois religions, au nord du Liban : Bécharré. Comme
d'un encensoir, une brume épaisse monte de la vallée. Au
rythme du *nay*[1] d'un berger perdu dans les pâturages, elle
escalade les rochers, s'insinue entre les chênes et les cyprès,
et s'en vient assiéger les maisons aux tuiles orangées. Mais il
en faudrait davantage pour soumettre la bourgade. Car
Bécharré l'indomptable a la ténacité de ses fils au teint hâlé
et à la moustache conquérante ; elle a la résistance des cèdres
de Dieu – *Arz er Rab* – qui se dressent, à deux lieues de là,
fiers et robustes malgré leur tête qui ploie, ces cèdres qui ins-
pirèrent à Alphonse de Lamartine l'un des plus beaux passages de son *Voyage en Orient* :

« Ces arbres sont les monuments naturels les plus
célèbres de l'univers. La religion, la poésie et l'histoire

---

1. Flûte de roseau en usage en Orient.

19

les ont également consacrés... Ce sont des êtres divins sous la forme d'arbres. »

Baptisée « Buissera » par les Croisés qui en avaient fait l'un des fiefs du comté de Tripoli, Bécharré offre, en cette fin du XIXᵉ siècle, l'aspect d'une bourgade austère au milieu d'un paysage tourmenté. Lamartine ne s'y est pas trompé, qui note dans son carnet de voyage :

> « Le village de Beschieraï, dont les maisons se distinguaient à peine des rochers roulés par le torrent... On y descend par des sentiers taillés dans le roc et tellement rapides qu'on ne peut concevoir que des hommes s'y hasardent... »

Des photos anciennes[1] révèlent l'image d'un lieu suspendu entre ciel et terre, aux habitations traditionnelles blotties les unes contre les autres pour faire front contre l'envahisseur commun, qu'il soit l'hiver ou l'Ottoman. Car l'Ottoman est toujours l'ennemi : bien que le pays, depuis l'arrivée en 1860 des troupes françaises commandées par le général marquis de Beaufort d'Hautpoul, jouisse d'un régime spécial, celui d'un gouvernorat autonome ou *moutassarefiat*, exercé par un sujet ottoman, le *moutassaref*, nommé par la Porte et responsable devant Istanbul, les chrétiens du Nord refusent de coopérer avec ce gouverneur étranger et supportent mal que le territoire libanais soit amputé de la Béqaa, de Beyrouth et des régions de Tripoli et de Sidon[2]...

Non loin de là, la vallée sainte de la Qadicha, considérée par les frères Tharaud[3] comme « la vallée, par excellence, de la sainteté maronite... Sur les cimes, les pentes, au fond de la vallée ou bien creusés dans les rochers, on n'aperçoit qu'églises, chapelles, monastères et cellules. Toute une vie mystique s'est accrochée aux broussailles, suspendue aux

1. Ghazi Geagea, *Bécharré*, Beyrouth, 1999.
2. Kamal Salibi, *Histoire du Liban*, éd. Naufal, 1988, pp. 207 et 213.
3. Jérôme et Jean Tharaud, *Le Chemin de Damas* (Plon, 1923), cité par H. Mallat, *L'Académie française et le Liban* (Dar an-Nahar, 2001), p. 253.

précipices… ». Qui sont donc ces « Maronites » qui habitaient – et habitent toujours – ce lieu sacré ? C'est à la fin du IVᵉ siècle, près d'Antioche, qu'un saint anachorète nommé Maron se fit connaître par une science peu ordinaire, par l'austérité de sa vie et par le don des miracles dont il était pourvu [1]. Salué par saint Jean Chrysostome, il fut le maître spirituel d'un groupe d'ermites qui, à sa mort vers 410, fondèrent le noyau de l'Eglise maronite et érigèrent, sur les rives de l'Oronte, un monastère en son honneur. Persécutés à partir du VIIᵉ siècle, ils se réfugièrent dans les montagnes du Liban-Nord et, à l'époque des Croisades, rendirent aux Francs de précieux services. Leur Eglise, ralliée à Rome où, en 1584, le pape Grégoire XIII fonda le *Collegium Maronitorium*, utilise comme langue liturgique le syriaque, dialecte de l'araméen, langue du Christ. Elle compte aujourd'hui près de quatre millions de fidèles aussi bien au pays des Cèdres (où est célébré, le 9 février de chaque année, le souvenir de saint Maron) qu'à Chypre, Rhodes et dans les pays d'accueil de la diaspora libanaise.

Le site le plus frappant de cette vallée est, sans doute, le couvent Saint-Antoine de Qoshaya [2], sanctuaire de l'une des premières presses en Orient. Dans une grotte profonde et sombre, située à l'entrée du monastère, on enchaînait autrefois les fous pour, croyait-on, exorciser leurs démons. Comme si la folie était une hérésie…

> « Donne-moi le *nay* et chante
> Le chant est le secret de l'éternité,
> Et la plainte du *nay* demeure
> Après la fin de l'existence…
>
> As-tu, comme moi,
> Préféré pour demeure
> La forêt aux châteaux

---

1. Mgr Pierre Dib, *Histoire des maronites*, t. I, Librairie Orientale, 2ᵉ éd., 2001, p. 4 ; Mgr Saïd Saïd, *Les Eglises orientales et leurs droits*, Cariscript, 1989, p. 55 ; J.-P. Valognes, *Vie et mort des Chrétiens d'Orient*, Fayard, 1994, p. 368.
2. Expression d'origine syriaque signifiant : « Le Trésor de la Vie ».

Pour suivre les ruisseaux
Et gravir les rochers ?

T'es-tu baigné dans l'arôme
Et séché dans la lumière ?
T'es-tu enivré de l'aube
Dans des coupes remplies d'éther ?

T'es-tu, comme moi,
Assis au crépuscule
Parmi les ceps des vignes,
Et les grappes suspendues
Comme des lustres d'or ?

T'es-tu, la nuit,
Couché dans l'herbe,
Prenant le ciel pour couverture,
Renonçant à l'avenir
Oubliant le passé ?

...Donne-moi le *nay* et chante,
Oublie maux et remèdes
Car les hommes sont des lignes écrites
Mais avec de l'eau [1]. »

C'est dans ce décor, qu'il a su si bien magnifier dans ses poèmes, que Gibran Khalil Gibran voit le jour, le 6 janvier 1883. Son père, Khalil Saad Gibran, percepteur de son état, passe son temps à boire et à jouer aux cartes. Il est issu d'une famille maronite originaire de Syrie qui, au XVIe siècle, vint s'installer à Baalbek, avant de se fixer à Bchi'lé, puis à Bécharré. « Il avait un tempérament impérieux et n'était pas une personne aimante », se souviendra Gibran qui souffrit de ses brimades et de son incompréhension.

La mère de Gibran, Kamlé Rahmé, appartient à une famille au nom très répandu dans la région. Fille du prêtre Estephan Rahmé, elle a épousé Khalil après le décès de son

---

1. Cet extrait des *Processions* de Gibran a été admirablement chanté par la diva libanaise Feyrouz.

premier mari, mort au Brésil où, ensemble, ils étaient allés chercher fortune, et l'annulation de son deuxième mariage avec un certain Youssef Elias Geagea. Elle a déjà un fils du premier lit : Boutros, né en 1877. Elle est très brune, fine, et possède une belle voix, héritée de son père.

Kamlé veille amoureusement sur ses quatre enfants (ses deux filles, Mariana et Sultana, sont nées en 1885 et 1887). Elle s'efforce de leur donner une éducation soignée et aime à leur raconter des histoires et des légendes du Liban. Dans une lettre du 27 septembre 1910, adressée à son cousin Nakhlé, Gibran évoque ces moments exquis :

> « Te souviens-tu de ces intéressants récits que nous écoutions, assis autour de l'âtre, les jours froids et pluvieux où la neige tombait dehors et le vent soufflait entre les maisons ? »

Grâce à sa mère, le petit Gibran apprend l'arabe, s'initie à la musique et au dessin, découvre la Bible. En sa compagnie, il se rend chaque dimanche à l'église, assiste à la messe célébrée selon la liturgie maronite, essaie de retenir, sans toujours les comprendre, les litanies en syriaque. Sentant chez son fils un attrait pour les arts, Kamlé lui offre un album consacré à Léonard de Vinci. C'est la révélation : Gibran reste muet d'admiration devant l'œuvre puissante de l'Italien. « Je n'ai jamais regardé une œuvre de Léonard de Vinci sans éprouver au fond de moi le sentiment qu'une partie de son âme pénètre la mienne, écrira-t-il bien plus tard. J'étais un enfant lorsque je vis pour la première fois les dessins de cet homme prodigieux. Je n'oublierai jamais ce moment aussi longtemps que je vivrai ; et au cours de cette période de ma vie, cela eut sur moi l'effet de l'aiguille d'une boussole sur un bateau égaré dans la brume… »

Profondément marqué par sa mère, le futur écrivain ne manquera pas de lui rendre hommage dans *Les Ailes brisées* :

> « Le mot le plus doux jamais prononcé par des lèvres humaines est celui de "mère". "O maman" est le plus bel appel. "Mère" est un mot, petit et grand, plein d'espoir,

d'amour, de tendresse, il est toute la sensibilité et la douceur que contient le cœur de l'homme. La mère est tout dans sa vie : elle est la consolation dans la peine, l'espérance dans la détresse, la force dans la faiblesse. Elle est source d'affection, de bienveillance, d'indulgence et de pardon. Celui qui perd sa mère perd une poitrine où poser sa tête, une main qui le bénit, un regard qui le protège. »

A la mort de sa mère, il écrira à son cousin Nakhlé, à Bécharré :

« Quant aux vêtements que tu as trouvés dans le coffre de feu ma mère, bien qu'ils soient sans grande valeur et qu'ils ne comportent rien de précieux, je voudrais, du fond du cœur, en avoir la plus grande partie. Je sanctifie la mémoire de ma mère et respecte les reliques. »

Et à May Ziadé, son amie du Caire, il fera cet aveu :

« Quatre-vingt-dix pour cent de mon caractère et de mes inclinations sont hérités de ma mère (sauf que je ne puis me targuer d'avoir sa douceur, sa gentillesse et sa générosité). »

Les premières années de Gibran se passent dans l'insouciance, malgré les disputes qui opposent ses parents, et une grave chute survenue alors qu'il marchait le long d'une falaise en compagnie d'un cousin, qui lui cause une luxation de l'épaule et l'oblige à s'allonger sur une planche, les bras en croix, « pendant quarante jours ».

Le garçon est remarqué par un « médecin-poète » local, Sélim Daher [1], qui le prend sous son aile. Gibran ne l'oubliera pas. En 1912, ayant appris sa mort, il écrira à sa famille ces lignes sincères : « Ses talents et qualités étaient uniques... Je lui suis redevable de cet éveil moral qui, grâce à son amour et

---

1. Né en 1865 à Bécharré, Sélim Daher fit ses études au collège de la Sagesse et, en 1887, obtint son diplôme de médecine de l'Université américaine de Beyrouth.

sa sympathie, a touché mon adolescence... » Et dans un éloge funèbre rédigé le 22 juillet 1912, il appellera ses concitoyens à ne pas pleurer « le Fils des Cèdres », car « la mort renouvelle les jours de celui qui lui vient avec une belle et noble âme, et le remet debout face au soleil... ».

Gibran fréquente d'abord le monastère de Mar Licha (saint Elisée) où le père Germanos lui inculque les bases de l'arabe et du syriaque. Il s'inscrit ensuite à l'école primaire de Bécharré, tenue par le père Semaan qui lui apprend à lire et à écrire. Les anecdotes sur cette période sont légion, mais elles sont difficiles à vérifier : un jour, le prêtre lui impose de copier dix fois sa leçon de syriaque qu'il ne savait pas. S'approchant de l'écolier pour contrôler son travail, il le surprend en train de dessiner un âne endormi avec une calotte noire sur la tête ! L'écrivain Mikhaïl Naïmeh, qui fut son ami, rapporte que le petit Gibran se servait d'un morceau de charbon pour tracer sur les murs ses premiers dessins. Il affirme aussi que Gibran fut retrouvé le Vendredi saint, au cimetière du village, portant un bouquet de cyclamens. Trop petit pour accompagner les autres enfants du village, partis cueillir des fleurs pour les déposer sur le crucifix lors de la cérémonie funéraire à l'église, il avait mystérieusement disparu, provoquant l'émoi de ses parents. « Quand je suis arrivé à l'église pour y déposer les fleurs que j'avais moi-même cueillies, le portail était fermé, expliqua-t-il à sa mère. Alors, je me suis rendu au cimetière pour y chercher la tombe du Christ ! » Quant à Barbara Young, la compagne des derniers jours, elle rapporte que le petit Gibran, à l'âge de quatre ans, « enfouit du papier dans la terre et attend que le papier germe » !

Gibran évolue donc dans cette société conservatrice et, rapidement, se distingue par ses grandes aptitudes artistiques et par son imagination débridée qui provoque les railleries de ses camarades qui le traitent de « rêveur »... Cette imagination féconde sera à la fois une qualité chez l'écrivain Gibran – son œuvre entière est nourrie de symboles et d'allégories – et un travers chez l'homme, si tant est que l'on puisse jamais dissocier l'écrivain de l'homme. Comme nombre d'artistes, Gibran est narcissique : il est parfois suffisant, s'exprime à la troisième personne. Aussi sollicite-t-il son imagination pour compenser ses faiblesses. Comme la plupart des Orientaux, il possède une propension naturelle à l'affabulation : selon les circonstances, et parfois sans raison, il n'hésitera pas, à propos de sa vie, à travestir la réalité, prétendant, par exemple, qu'il est né à Bombay en Inde, que les ballades romantiques qu'il écrivait pendant son enfance devinrent populaires en Syrie et en Égypte, qu'il fut le disciple d'Auguste Rodin ou qu'il fut victime à Paris d'un attentat perpétré par les Turcs... Comment lui en tenir rigueur ? Combien d'écrivains s'inventent d'autres vies, campent des rôles qui ne leur ressemblent pas ? A l'instar de Hemingway, Swift, Yeats ou Malraux, créer – ou recréer – son propre personnage comme on en crée dans ses romans, n'est-ce pas là une liberté que tout écrivain peut revendiquer, au même titre que le droit de romancer l'histoire (le fameux « Je viole l'histoire, mais je lui fais de beaux enfants » attribué à Dumas) ou de situer son récit comme Rabelais ou Jules Verne dans des lieux qui n'existent pas ? Dans un entretien récent au *Monde*, Robbe-Grillet ne déclare-t-il pas : « Pour une autobiographie, ça ne me gêne pas du tout d'inventer des choses transformées par ma mémoire » ? En Orient, on parle d'un « mensonge blanc » quand il s'agit d'un mensonge inoffensif, qui ne prête pas à conséquence. « J'ai raconté beaucoup de mensonges dans ma vie, mais je n'ai jamais été malhonnête » : s'il lui arrivait de mentir, Gibran mentait – comme on tire – à blanc.

Au milieu de la nature, Gibran coule des jours heureux en compagnie de son demi-frère et de ses deux sœurs. Il aime les tempêtes qui, l'hiver venu, balaient la région et qui, plus tard, lui inspireront une toile (*Tempête*), le titre d'un livre (*Les Tempêtes*) et plusieurs textes. Dans une lettre à May Ziadé, il écrit :

> « Nous avons aujourd'hui une terrible tempête de neige. Vous savez combien j'aime toutes les tempêtes et, en particulier, les tempêtes de neige ! »

Et, dans une lettre à Mary Haskell :

« La terrible tempête que j'attendais vient d'arriver. Le ciel est noir, la mer écumeuse, et les esprits de dieux inconnus flottent entre ciel et mer... Mary, qu'y a-t-il dans une tempête qui me bouleverse ainsi ? Pourquoi suis-je meilleur, plus fort, plus sûr de la vie, quand passe une tempête ? Je ne sais pas. J'aime la tempête bien plus que toute autre chose dans la nature... »

Gibran s'imprègne de la féerie des paysages environnants, de la Vallée sainte à Baalbek, et de la mer, qu'il découvre pour la première fois à l'âge de 8 ans, à Marjhine, dans le Hermel, où son père possède une ferme et où, l'été, il retrouve des amis musulmans nommés Ahmed Allaou et Sadek Allam [1]. Il emmagasine dans sa mémoire des images qui, plus tard, nourriront son univers poétique. Dira-t-on assez l'influence de Bécharré sur l'œuvre gibranienne ? Tout : le soleil, les orages, les bergers, le blé, le myrte, la brume, le vent, les ruisseaux, « les secrets des collines et les chants de la forêt », la charrue, la flûte, le roseau, les gestes des villageois (qui vannent, tamisent, pilent...) peuplent chacun de ses livres, et en particulier *Le Prophète* où tous les symboles trouvent leur source dans l'imagerie du village natal de son auteur. Même à la fin de sa vie, dans *L'Errant*, Gibran continuera à situer ses paraboles dans la cité de Bécharré (« Les trois cadeaux »), dans la vallée de la Qadicha (« La Rivière ») ou sur un versant du Mont-Liban (« La Quête »), confirmant ainsi son attachement viscéral à l'univers de son enfance. Son œuvre picturale n'est pas en reste, qui prend constamment pour toile de fond ou décor des paysages qui ressemblent à ceux qu'on peut voir à Bécharré : montagnes accidentées qui se colorent de rose et de bleu, massifs rocheux, vallées profondes, sources... Des tableaux comme *Danse et rythme*, *Le Don*, *Naissance de la Tragédie* ou *Femme découvrant la nature*

---

1. Fouad E. Boustani, *Al Fousoul*, n° 7, été 1981 ; Henri Zogheib, « Avec Gibran à Marjhine », *An Nahar*, 15 et 17 octobre 2001.

restituent parfaitement cet environnement que le petit Gibran eut l'occasion de connaître.

« Moi-même, écrira-t-il dans *Les Ailes brisées*, je me souviens de cette belle région au nord du Liban et, dès que je ferme les yeux sur l'océan qui me sépare de mon pays, je vois ces vallées pleines de magie et de majesté, ces montagnes que la gloire et la noblesse élèvent vers les cieux ; dès que je me fais sourd au vacarme qui emplit cette société d'exil, j'entends le murmure des ruisseaux et le bruissement des feuillages. Toutes ces beautés dont je vous parle, j'aspire à les revoir, tel un nouveau-né qui réclame le sein de sa mère. »

Peu à peu, l'enfant apprend que « la tolérance est l'amour malade de son orgueil ». Dans un pays où cohabitent plusieurs communautés religieuses (« Le Liban est plus qu'un pays, c'est un message », affirme le pape Jean-Paul II), il découvre le sens de la coexistence, l'acceptation de l'autre. L'écrivain libanais Maroun Abboud a vu juste : « Par cette région sont passés tous les peuples de la terre. Ils se sont battus, puis sont partis, laissant chez nous des héritages culturels... Et, de toutes ces choses, s'est constituée notre mentalité, de telle sorte qu'il n'y a, sur terre, aucune nation dont les pensées soient aussi entrelacées. Regarde : tu vois au Liban des couvents et des temples, des forteresses et des citadelles, des églises, des cathédrales et des mosquées, des amphithéâtres et des stades. Sur chaque cime se dresse un couvent, sur chaque colline se trouve un temple ou une forteresse, et dans chaque vallée un refuge fortifié... » Un matin, un vendeur ambulant d'huile d'olive, de rite grec-orthodoxe, est rembarré par une femme de Bécharré sous prétexte qu'il n'est pas maronite. Piqué au vif, le père de Gibran, qui n'admet pas cette discrimination, achète de l'huile au pauvre marchand, puis l'invite à souper, pour le plus grand bonheur de son fils. Ne faut-il pas voir dans cette anecdote le signe que les Gibran, contrairement à d'autres familles libanaises, encore marquées par les conflits sanglants qui opposèrent les Druzes aux Chrétiens en 1860, comme elles le sont, de nos jours, par une guerre « civile » de 15 ans dont les plaies demeurent ouvertes, étaient étrangers au fanatisme et au confessionnalisme – qui en est la forme endimanchée ? Sans doute. Mais il y aura aussi l'exil sur une terre étrangère, qui apprend la tolérance puisqu'on la réclame pour soi afin d'être accepté dans son nouveau milieu.

Toute sa vie, par nostalgie pour son pays et pour son enfance, Gibran se replongera avec volupté dans son passé. Convaincu que « se souvenir, c'est en quelque sorte se rencontrer », il ne manquera aucune occasion de partager avec ses amis libanais les images qu'il a gardées de cette époque bénie :

> « Lorsque j'étais enfant, nous nous rendions – tous les habitants du village s'y rendaient – à l'église, la veille de Noël. Nous allions sur la neige silencieuse et profonde. Et, lanternes allumées en main, nous cheminions dans la nuit… A minuit, les cloches, les voix des vieillards, des enfants, s'élevaient en un vieux chant de la Galilée. La voûte de la petite chapelle me paraissait s'ouvrir jusqu'au ciel… »

A son cousin Nakhlé qui se trouve au Brésil, il écrit :

> « Entre les lignes… j'ai aperçu les ombres de tes émotions, comme si, du Brésil, elles ramenaient vers mon cœur l'écho des vallées, des vestiges, des torrents, qui enlacent Bécharré. La vie, mon cher Nakhlé, est pareille aux saisons… Reviendra-t-il encore une fois le printemps de notre âge ? Puissions-nous alors, comme du vivant de Boutros, à Bécharré, nous réjouir avec les arbres, sourire avec les fleurs, bondir avec les torrents, gazouiller avec les oiseaux ! La tempête qui nous a dispersés, nous réunira-t-elle encore une fois ? Reviendrons-nous pour une halte nous asseoir à nouveau aux abords de Mar Girgis ? […] Nos souvenirs voltigent sans cesse autour de ces lieux où nous avons connu un peu de joie. Quelque lointaines et minuscules que soient les

choses, je suis de ceux qui en gardent le souvenir, et je n'en laisse aucune s'estomper. Conserver en moi les ombres des jours passés constitue parfois la cause de ma tristesse et du serrement de mon cœur. Si j'avais cependant à choisir, contre toutes les joies du monde, je n'aurais accepté de changer les chagrins de mon cœur... »

Le 28 mars 1908, de Boston, il reviendra sur l'époque de l'enfance, dans une lettre envoyée à son ami Amin Gorayeb, éditeur et propriétaire de *Al-Mouhajer*, quotidien de langue arabe publié à New York, qui rentrait au Liban :

« Souviens-toi de moi quand tu verras le soleil monter derrière le Mont Sannine ou Fam el Mizab. Pense à moi lorsque tu verras le soleil descendre vers son couchant, étendant son habit rouge sur les montagnes et les vallées comme s'il répandait du sang au lieu des larmes lorsqu'il fait son adieu au Liban. Rappelle-toi mon nom lorsque tu verras les bergers assis à l'ombre des arbres, soufflant dans leurs roseaux, et emplissant le champ silencieux de musique apaisante, comme le fit Apollon quand il était exilé dans ce monde. Pense à moi quand tu verras les demoiselles portant sur l'épaule les jarres de terre remplies d'eau. Souviens-toi de moi lorsque tu verras le villageois libanais labourer la terre, face au soleil, le front orné de perles de sueur, le dos courbé sous le lourd fardeau du travail. Souviens-toi de moi lorsque tu entendras les chants et les hymnes que la Nature a tissés avec les fils de la lumière lunaire, mêlés à la senteur aromatique des vallées, mêlés à la joyeuse brise des Cèdres Sacrés et versés dans le cœur des Libanais... »

Puis, le 18 février 1913 :

« Va te promener le matin, tiens-toi au sommet de l'une des montagnes du Liban et médite sur le soleil quand il se lève et qu'il déverse ses rayons d'or sur les villages et les vallées. Que ces images célestes demeurent inscrites dans ton cœur pour que nous puissions les partager avec toi lorsque tu reviendras ! »

Cet attachement de l'écrivain à sa terre natale, sans doute exacerbé par l'absence, trouve son illustration la plus frappante dans *Jésus Fils de l'Homme,* où le visage du Christ est comparé aux cimes rocheuses du Liban, où le Christ choisit ses disciples parmi les gens du Nord et des versants du Liban, et demande que la neige du Liban soit son suaire... Au fond, Gibran aurait-il été ce pont entre l'Orient et l'Occident s'il n'avait été libanais ? Sans doute pas : l'ouverture des Libanais sur le monde – encouragée par le commerce, l'émigration et les nombreuses missions établies dans le pays –, leur perméabilité aux cultures étrangères – dix-sept civilisations se sont succédé sur leur sol –, leur propension à assimiler les idées venues d'ailleurs... se retrouvent chez Gibran et donnent raison à Georges Duhamel qui, en 1947, publia dans *Le Figaro* un article intitulé : « Une fenêtre entre deux mondes » où figurent ces lignes révélatrices :

> « Le Liban est un lieu d'osmose au milieu de cette membrane invisible et trop souvent imperméable qui sépare deux sociétés humaines. Kipling a dit, dans je ne sais quel ouvrage, une phrase fameuse que je vais citer en substance : "L'Orient est l'Orient, l'Occident est l'Occident, et jamais ces deux mondes ne parviendront à se comprendre." Le voyageur qui considère attentivement la société libanaise pense que Kipling s'est trompé. Cette union, dont il désespérait, dont on peut, en effet, désespérer parfois, c'est peut-être au Liban qu'elle se dessinera d'abord [1]... »

On ne s'étonnera pas, dès lors, que Gibran ait pu écrire en arabe ces mots aujourd'hui gravés sur le socle de sa statue, en plein cœur de Beyrouth :

---

1. Cité par H. Mallat, *op. cit.*, p. 261. La célèbre phrase de Kipling figure dans « The Ballad of East and West » in *Sixty Poems*, 97.

« Si le Liban n'était pas mon pays, je l'aurais choisi pour pays » !

*
* *

En 1891, tout bascule : le père de Gibran est arrêté par les forces de l'ordre pour avoir mal géré les taxes qu'il collectait. Kamlé a beau clamer l'innocence de son mari, rien n'y fait. La sentence est sans appel : il est condamné et dépouillé de tous ses biens. « Propriétés, vergers et champs, ainsi que la maison de la famille avec tout ce qu'elle contenait comme objets de valeur, livres et meubles, dont une grande partie était un legs de père en fils sur plusieurs générations, tout cela fut confisqué, rapportera Gibran. Mon père fut conduit à Beyrouth où il fut emprisonné... » Pour Kamlé, c'est le désarroi. Que faire ? Où aller ? Comment nourrir quatre enfants quand on est sans ressources ? Instinctivement, elle pense à émigrer. Nombre de ses concitoyens, échaudés par la crise économique et par des taxes de plus en plus accablantes, sont allés trouver refuge sous des cieux plus cléments : on estime à 330 000 ceux qui, entre 1860 et 1914, ont quitté les ports de Beyrouth et de Tripoli à destination du continent américain [1]. Certains ont fait fortune ; d'autres, comme son premier mari, ne sont pas revenus. Sa décision est prise, mais où trouver l'argent du voyage ? Elle vend les rares biens que son père lui a légués et les ustensiles épargnés par les créanciers de son mari, sollicite l'intervention d'un évêque auprès des autorités américaines pour obtenir le permis d'immigrer et reçoit de l'Université américaine de Beyrouth, connue alors sous le nom de « Syrian College »,

---

1. Elie Safa, *L'Emigration libanaise*, Université Saint-Joseph, Beyrouth, 1960. Certains démographes ramènent ce chiffre à 217 000 (A. Atat, « Emigration et diaspora libanaise dans le monde », *Défense nationale libanaise*, octobre 2001, p. 40).

une lettre de recommandation destinée à lui faciliter les formalités nécessaires [1].

En 1895, la famille prend le large. Direction ? Le Nouveau Monde... Boston – là où, en 1854, débarqua, comme sur la Lune, le premier émigrant libanais.

---

1. Antoine Ghattas Karam, *La vie et l'œuvre littéraire de Gibran Khalil Gibran*, Dar an-Nahar, 1981, p. 18 ; Jean-Pierre Dahdah, *Gibran, une biographie*, Albin Michel, 1994, p. 68.

2

LE NOUVEAU MONDE

Le 17 juin 1895, Kamlé et ses enfants débarquent à Ellis Island [1]. Le petit Gibran a douze ans, et tout à apprendre sur cette « civilisation qui marche sur des roues ». Son premier souvenir après le débarquement est rapporté par Barbara Young :

> « C'est la nuit qu'il passa à Old Brevoort House, Fifth Avenue, Eight Street, à New York City. Il erra le lendemain, se promenant dans un vieux cabriolet, le long de l'avenue, pour revenir à l'hôtel. »

Peu après, la famille arrive à Boston. Boston ! Toutes les grandes causes de l'histoire américaine sont liées à ce nom : la révolution, l'indépendance, l'abolition de l'esclavage,

---

1. Robin Waterfield a retrouvé aux Archives de la ville de New York (section Nord-Est) la date exacte de l'arrivée de la famille de Gibran (*Khalil Gibran, un prophète en son temps*, Fides, 2000, p. 24).

l'émancipation des femmes... Ville phare de la Nouvelle-Angleterre, peuplée à cette époque par un demi-million d'habitants, Boston est avant tout la capitale historique des Etats-Unis : c'est non loin de là qu'en 1620, le *Mayflower* débarqua 102 colons qui fuyaient l'Angleterre... Libanais et Syriens vivent dans le quartier de South End, dans des conditions précaires. Les Gibran sont hébergés par des parents qui avaient quitté Bécharré pour Boston cinq ans plus tôt. Puis, ils s'installent au cinquième étage d'une bâtisse vétuste, située près de Beach Street, au 9, Oliver Place [1]. Le taudis qu'ils occupent est obscur ; le vacarme de la rue remplace la douce musique des cascades de la Vallée sainte ; des odeurs nauséeuses s'exhalent des dépotoirs environnants, envahis par les mouches et les chiens errants. Mais qu'importe ! Il faut survivre. Le père, resté au pays, envoie un peu d'argent, mais les sommes diminuent à chaque envoi.

Prenant son courage à deux mains, l'aîné de la famille, Boutros, se met à chercher du travail et trouve bientôt un emploi dans un magasin de tissus. A 18 ans, le jeune homme est persévérant et dévoué : il ambitionne de gagner suffisamment d'argent pour assurer l'éducation de son demi-frère et la quiétude de sa mère et de ses demi-sœurs. Quant à Kamlé, elle imite la plupart de ses compatriotes en exil : elle fait du porte-à-porte, un ballot sur le dos, pour vendre du linge de maison, de la dentelle et des soieries de fabrication syrienne. Elle doit faire face aux intempéries et, surtout, à l'humiliation de se voir refoulée comme une pestiférée. Plus tard, elle renoncera à cette activité pour se consacrer à la couture, secondée par Sultana et Mariana qui finiront par travailler comme vendeuses dans la boutique de Boutros.

Mû par la volonté de donner forme à son destin en accédant à la connaissance, Gibran fréquente l'école communale de Quincy, dans le quartier syrien de la ville, une école où se côtoient Arabes, Juifs, Chinois et Européens de l'Est. Dans ce *melting-pot* qui reflète le visage de l'Amérique, il redécouvre la tolérance. On lui apprend à lire et à écrire l'anglais. Son institutrice

---

1. Ce quartier se trouve désormais dans Chinatown.

remarque son penchant pour les Lettres et lui offre *La Case de l'Oncle Tom* ; elle l'encourage à dessiner et le présente à un artiste local qui lui promet un brillant avenir. C'est elle qui lui suggère de supprimer de son nom le premier « Gibran », et d'intervertir le « h » et le « a » de « Khalil », jugeant plus sobre de signer : « Kahlil Gibran [1] ». L'adolescent accepte. Désormais, c'est sous ce nom-là qu'il sera connu en Amérique.

Gibran passe deux ans et demi dans cette école dont il gardera un souvenir ému :

> « Mes deux premières années à Boston furent les plus misérables. Mon seul secours résida dans mes enseignants qui étaient d'une grande amabilité avec moi. Bien après mon départ de l'école, ils continuèrent à demander de mes nouvelles par correspondance... »

Attristée de voir Boutros se tuer à la tâche pour nourrir la famille tandis que Gibran passe son temps à lire, à dessiner et à rêvasser, Kamlé demande à celui-ci de travailler pour aider son frère. Mais l'adolescent refuse catégoriquement, considérant que « le petit doigt d'un dessinateur vaut mille commerçants – excepté Boutros. Une page de poésie vaut tous les tissus des magasins du monde » ! De fait, Gibran ne rate aucune occasion pour se cultiver. Il fréquente assidûment une institution caritative baptisée Denison House où professent des prêtres catholiques et où sont donnés des cours de dessin et de théâtre. Ayant dessiné *La Bacchante*, la « scandaleuse » statue de Frederick Mac Monnies qui trône dans la cour de la Boston Public Library, il montre le croquis à son professeur à la Denison House, Florence Pierce, qui, séduite par son talent, l'introduit auprès d'une assistante sociale très influente : Jessie Fremont Beale. Le 25 novembre 1896, celle-ci écrit à un ami, Fred Holland Day, pour lui suggérer de prendre sous son aile ce jeune garçon si prometteur :

---

1. Le nom exact en arabe est : « Gibran Khalil Gibran », Khalil étant le nom du père qu'il est d'usage de placer après le prénom. Dans ses œuvres en arabe, Gibran signera de son nom complet ; en anglais, il préférera la graphie suggérée par son institutrice.

« Cher Mister Day,

Je me demande si vous avez parmi vos amis un peintre qui aimerait prendre soin d'un garçon assyrien [syrien [1]] appelé Kahlil Gibran ? Celui-ci ne fait partie d'aucune association. En conséquence, la personne qui lui viendra en aide sera tout à fait libre de faire de lui ce que son jugement lui dictera. Il est entré l'hiver dernier dans une classe de dessin du College Settlement de Tyler Street, et il fait preuve d'un talent qui a amené Mlle Pierce à se dire qu'il serait un jour capable de gagner sa vie de manière plus satisfaisante qu'en vendant des allumettes ou des journaux à condition, bien sûr, que quelqu'un veuille bien l'aider à faire son apprentissage dans le domaine des arts.

Il risque de devenir un mendiant si personne ne s'occupe de lui. La famille est affreusement pauvre. Elle habite Oliver Place, et nul doute qu'elle sollicitera l'aide financière de l'enfant quand il aura atteint l'âge légal de travailler. A moins qu'on ne lui donne l'occasion de se diriger vers des activités plus valables...

J'espère que vous ne considérerez pas cette requête en faveur de Kahlil comme inopportune. Mais mon intérêt pour l'enfant est si fort, et je me trouve si impuissante que j'en suis arrivée à la conclusion qu'il me fallait trouver quelqu'un capable de lui être vraiment utile. »

Né en 1864 à South Dedham dans le Massachusetts, Fred Holland Day occupe une place à part dans le monde artistique de l'époque [2]. Photographe à l'œuvre à la fois hardie et empreinte de symbolisme et de mysticisme, ce dandy dirige la

---

1. Tous les immigrés originaires du Levant étaient appelés « Syriens ». En outre, dans le langage de l'époque, le mot « Syrie » était un terme générique décrivant une réalité géographique (comprenant la Syrie, le Liban, la Palestine et la Jordanie actuels) et ne correspondait à aucune entité politique.

2. En 2001, une exposition lui a été consacrée au Van Gogh Museum à Amsterdam, et un livre écrit par Pam Roberts a été édité à cette occasion, qui comporte trois photographies de Gibran.

maison d'édition Copeland & Day, fondée à Boston en 1893, qui a à son actif, entre autres, la publication de l'édition américaine du *Salomé* d'Oscar Wilde. Au physique, il a les cheveux blonds, la barbe taillée en pointe, le nez aquilin, les yeux clairs. Il porte des besicles rondes, un chapeau noir à larges bords et une cape d'opéra. Homosexuel notoire, il s'intéresse au corps masculin et n'hésite pas à photographier de jeunes éphèbes dans le plus simple appareil...

Comme Day a besoin de modèles orientaux pour ses photographies, il accepte de recevoir Gibran et lui donne rendez-vous le 9 décembre 1896 dans son studio du 9, Pinckey Street... Subjugué par cet adolescent au teint hâlé, aux longs cheveux noirs, à l'air ténébreux et au regard méditatif, Day l'invite à poser pour lui, accoutré en Arabe, en Levantin ou en Indien : par candeur ou par curiosité, Gibran accepte. *Young Cheikh, Kahlil, Syrian boy...* au gré de ses fantasmes, le photographe multiplie les portraits de son jeune modèle. « Day possède une série de photos de moi ; il était très affectueux à mon égard », se souviendra l'adolescent – qui encouragea tous les membres de sa famille à poser pour son protecteur. Day lui achète des vêtements neufs, le convie à plusieurs soirées et banquets. Il lui fait découvrir William Blake, à la fois peintre et écrivain. Gibran est conquis par l'univers mythologique et prophétique de cet artiste, ébloui par la diversité des sources qui enrichissent son vocabulaire poétique et visuel, sensible à la fécondité symbolique de cette œuvre marquée par la dialectique spirituelle du Bien et du Mal, du Paradis et de l'Enfer, de la Désintégration et de la Régénération [1], et qui cherche à « ouvrir l'immortel Regard Humain sur le Dedans [2] »... Bien qu'il ne parvienne pas encore, à cause de son jeune âge, à décrypter toute la pensée de Blake, il assimile certaines de ses idées comme la critique de la société et de l'Etat, la révolte contre le prince et le prêtre, la vertu créatrice du désir, la primauté de l'imagination identifiée à un « Dieu intérieur », l'Unité de l'être, la puissance du Christ, considéré comme un

---

1. Henri Lemaître, *William Blake, vision et poésie,* José Corti, 1985, p. 10.
2. William Blake, *Jerusalem, the Emanation of the Giant Albion,* I. 5.

rebelle, et commence à esquisser des croquis chargés de symboles, inspirés des dessins du grand artiste londonien. Dès lors, William Blake ne cessera plus de hanter Gibran et occupera toujours, dans son univers spirituel, une place à part.

Au contact de Day, le jeune Libanais découvre aussi Swinburne, Carpenter, Whitman, Keats, Emerson et les écrivains romantiques. Suivant les conseils de son maître, il lit *Trésor des humbles* de Maurice Maeterlinck, un ouvrage où l'auteur, à travers des considérations morales et philosophiques, scrute les secrets de la vie intérieure : « Entre quatorze et dix-huit ans, il était mon idole », dira Gibran à propos de ce « magicien du mystère » que Day lui-même photographia en 1901 et qui fut couronné en 1911 par le prix Nobel de littérature. Gibran observe, assimile, si bien que des détails relevés dans les photos de son mentor, comme la boule de cristal que celui-ci pose derrière ses modèles, figureront, plus tard, dans plusieurs toiles de l'artiste.

L'influence de Fred Holland Day sur Gibran va se révéler déterminante. L'art du portrait que le photographe pratique avec bonheur fascine le jeune homme qui l'exercera dans ses peintures. L'émancipation de tous les carcans, la recherche de la beauté dans le nu, le retour à la mythologie, le souci de bâtir des ponts entre les cultures, la quête permanente de la spiritualité à travers les symboles (« L'indéfini est la route vers l'infini », répétait Day)… autant d'idées ou d'attitudes qui marqueront le jeune Gibran à l'âge où l'esprit se forme et la personnalité s'affirme…

Grâce à Day, de nombreuses portes s'ouvrent devant l'adolescent : il illustre quelques livres parus aux éditions Copeland & Day et ailleurs, comme le recueil de poésie du Canadien Duncan Campbell Scott et un livre sur l'astronome et poète persan Omar Khayyam, écrit par Nathan Haskell Dole. Petit à petit, Gibran fait son chemin : une de ses illustrations orne bientôt la traduction anglaise de *La Sagesse et la destinée* de Maeterlinck.

Au mois de février 1898, Fred Holland Day organise une exposition de 250 photographies au Camera Club de New York, suivie d'une autre, en mars, au même club, à Boston.

« J'y ai rencontré une foule de personnes raffinées ; c'était un grand événement. Ma mère m'avait taillé un habit pour l'occasion… J'ai rencontré également Miss Josephine Peabody qui m'a dit : "Je vous vois partout" ; car à ma grande surprise, parmi les portraits de moi pris par Day, celui-ci avait monté et encadré une dizaine de mes dessins et les avait accrochés aux murs », racontera Gibran, tout fier d'avoir vu, à l'âge de quinze ans à peine, ses premiers dessins côtoyer les œuvres d'un des plus grands photographes de son temps.

Qui est cette Josephine Preston Peabody ? Surnommée « Posy », cette jeune fille raffinée, âgée de vingt-trois ans, est issue d'une famille autrefois aisée dont la condition matérielle a périclité après la mort du père, survenue en 1884. Elle a fait ses études dans des établissements sérieux : la Boston Girl's Latin School et le Radcliffe College ; elle taquine la muse et rêve de se faire publier par Copeland & Day. Quand elle rencontre Gibran lors de l'exposition de Boston, elle lui dit, faisant allusion aux portraits et dessins de l'adolescent :

« Je vous vois partout ! Mais je vous trouve si triste. Pourquoi êtes-vous triste ? »

Gibran est troublé par la beauté de cette jeune fille à la peau diaphane, aux yeux magnifiques, au cou de cygne et aux traits délicats. Il ne se défend pas d'être triste. N'est-ce pas lui qui déclare, à propos de la mère de Day : « Elle dit à son fils : J'aime beaucoup ce garçon [Gibran], mais je ne veux pas être avec lui : il ne sourit jamais ; et c'est vrai, je ne souriais guère. » Gibran observe Posy avec attention, mémorise ses traits et se promet de lui faire son portrait à la première occasion.

Les fréquentations de Gibran commencent à inquiéter sa famille. Day a une réputation sulfureuse. On se pose des questions : Pourquoi s'est-il tellement attaché à cet adolescent doué, mais encore naïf ? Certains biographes, se fondant sur cette amitié suspecte, et sur les relations difficiles que l'artiste entretenait avec les femmes, ont émis l'hypothèse de l'homosexualité de Gibran. Mais cette thèse apparaît peu plausible quand on sait l'attitude intransigeante et outrée de l'écrivain, attestée par sa correspondance, à l'égard de l'homosexualité, et ses nombreuses liaisons, connues ou secrètes, avec des femmes souvent plus âgées que lui…

Les choses s'enveniment quand, au mois de février 1897, Gibran succombe aux charmes d'une femme de trente ans, l'épouse d'un commerçant. Choqués par son comportement, exaspérés par ses fréquentes absences nocturnes, Kamlé et Boutros – qui, grâce à ses économies et celles de sa mère, a ouvert une boutique de nouveautés orientales, au 61, Beach Street – décident de réagir. Comment faire pour éloigner l'adolescent de cette femme légère et, plus encore, de l'influence de ce Fred Holland Day qui n'hésite pas à peindre des hommes nus ? Le renvoyer au Liban ! L'adolescent accepte l'idée sans rechigner :

> « J'étais dans un rêve ; ce n'était pas un rêve clair ou plaisant, mais confus et incertain. Ma mère, mon frère et mes deux sœurs étaient derrière moi, à Boston, et devant au lointain mon père perché au mont Liban, près des cèdres. Et moi… je savais que je ne pourrais être ce que je devais être, si je ne rentrais pas au pays. »

Bien que contrariée, son institutrice, Florence Pierce, considère que maintenant que Gibran « a découvert ses tendances artistiques, il pourra se ressourcer aux couleurs locales et retournera […] revivifié par sa visite au pays natal ».

Avant de partir, Gibran achève le portrait de Posy et le montre à Fred Holland Day qui lui suggère de l'envoyer à la jeune fille avec une dédicace. L'adolescent obéit : quelques jours plus tard, Josephine Peabody, qui s'apprête à publier son premier livre chez Copeland & Day, reçoit avec surprise ce portrait d'elle accompagné d'une note mystérieuse en arabe. « En vérité, je n'ai pas oublié Kahlil, écrit-elle à Day. Mais je suis si surprise de savoir qu'il se souvient encore de moi… » Intriguée, elle consulte un professeur de langues orientales à Harvard pour décoder la dédicace : « A la chère inconnue, Josephine Peabody », lui a écrit Gibran avec pudeur.

Au moment de quitter Boston, accoudé au bastingage du navire qui le ramène à Bécharré, le Libanais ne peut s'empêcher de penser à sa première muse. La reverra-t-il jamais ?

3

RETOUR AUX SOURCES

Gibran Khalil Gibran débarque à Beyrouth le 30 août 1898. Dans ses bagages, sept ouvrages dont les Evangiles et *The Age of the Fable or Beauties of Mythology* de Thomas Bulfnich, un livre que Day lui a offert. Pendant la traversée, l'artiste en herbe y a découvert le drame de Prométhée, le mythe d'Orphée, le prophète perse Zoroastre, la philosophie de Pythagore, la mythologie indienne...

Sans tarder, Gibran se rend à Bécharré et se précipite dans les bras de son père. Khalil lui apparaît abattu, inquiet sur le sort de la famille restée à Boston ; il boit comme un trou. Proches et amis se pressent pour accueillir « l'Américain ». Le médecin et poète Sélim Daher retrouve avec émotion son jeune disciple. Il lui conseille de poursuivre ses études au Collège de la Sagesse, l'une des meilleures écoles du pays fondée en 1875 par l'Eglise maronite et dirigée par un prélat formé à la Compagnie des prêtres de Saint-Sulpice en France : Mgr Youssef Debs. Le père de Gibran consent à envoyer son fils à Beyrouth et lui fournit l'argent nécessaire pour subvenir à ses besoins.

Le 20 octobre 1898, Gibran entre au Collège de la Sagesse. Il y restera jusqu'en juillet 1901. En dépit de son retard dans certaines matières, comme l'arabe classique, l'adolescent « exige » d'être admis dans une classe supérieure et de ne pas être interrogé avant trois mois, histoire de bien assimiler le nouveau système. Séduits par son audace et sa forte personnalité, les responsables de l'établissement, qui voulaient l'inscrire dans une classe primaire, acceptent ses « conditions » !

L'un des maîtres de Gibran est le père Youssef Haddad [1]. Son portrait, conservé à la Bibliothèque Nationale du Liban, révèle un homme barbu, au front bombé, au regard perçant, coiffé d'une toque noire. Le père Haddad n'est pas un enseignant comme les autres : auteur de poèmes et de pièces de théâtre, il possède le don de « convertir » ses élèves aux Lettres. A son contact, Gibran découvre les trésors de la langue arabe, lit Ibn Khaldoun [2], Al Moutanabbi [3], Avicenne et les poètes soufis, et approfondit sa connaissance de la Bible. Il commence à bien exprimer ses idées dans sa langue maternelle, rédige ses premiers textes en arabe, ébauche même les premières pages d'un livre qu'il veut intituler *Pour que l'univers soit bon,* qui constitue une première mouture, très maladroite, du *Prophète.* Il apprend aussi le français et se plonge avec délectation dans les œuvres de Victor Hugo, Chateaubriand et Rousseau. « J'y voyais un ensemble beau et harmonieux, et une forme qui n'épousait pas le sens, se souviendra le père Haddad. Gibran poussait comme un peuplier. Il débordait de vie, se résorbait comme une source, et avec lui, son âme bondissante, badine, révoltée à la fois, prenait vigueur. Pensez beaucoup, lui disais-je, et écrivez peu. »

---

1. Né à Ain Kfah (caza de Jbeil), le père Youssef Haddad (1865-1949) entra dans les ordres en 1889 et influença nombre d'écrivains libanais de renom comme Amin Takieddine et Michel Zaccour.

2. Historien et philosophe arabe (Tunis 1332 – Le Caire 1406).

3. Surnommé « Al Moutanabbi » (« Celui qui prétend à la prophétie »), Ahmad Abou al-Taïb (915-965) fut le panégyriste des souverains de son époque, mais aussi l'auteur de poèmes contestataires animés d'un souffle épique.

L'adolescent, de son côté, apprécie son maître : « C'est le seul homme qui ait jamais pu m'apprendre quelque chose... »

Comment se passe la scolarité de Gibran ? « Les deux premières années à l'école furent dures à cause du poids de l'autorité. L'école était stricte ; les enseignants avaient la main bien plus leste qu'en Amérique. Je ne croyais pas en leur discipline et ne leur obéissais point. Et pourtant j'étais moins puni que d'autres élèves, car je compensais autrement : je travaillais durement », se souviendra-t-il. Au fond, ses professeurs le traitent avec indulgence en raison de son statut particulier d'ancien émigré. En classe, il rêvasse sans cesse, dessine, couvre ses livres et ses cahiers de caricatures de ses professeurs. Les croquis de cette époque, à l'encre ou au crayon, ne sont pas dépourvus de symbolisme et annoncent déjà l'œuvre picturale à venir : en position assise ou couchée, des femmes ou des androgynes qui méditent, souffrent ou enlacent une forme ou un enfant.

Aux yeux de ses camarades, Gibran est étrange, avec ses cheveux longs qu'il refuse de couper et ses attitudes extravagantes. Quand il leur raconte qu'il a pour amis des éditeurs américains et que ses dessins ornent les couvertures de plusieurs ouvrages publiés à New York, ils ont sans doute du mal à le croire... Il se lie d'amitié avec Ayoub Tabet qui, en 1943, sera nommé par la France chef du gouvernement provisoire et, surtout, avec le neveu du patriarche maronite, Youssef Hoayek – futur sculpteur de renom, auteur du fameux monument aux martyrs, *Les Pleureuses*, érigé en 1930 au cœur de la Place des Canons, à Beyrouth –, qu'il initie à la peinture : « Youssef était en quelque sorte mon enfant spirituel », dira-t-il à propos de ce garçon qu'il retrouvera à Paris.

A des lieues de là, la chance sourit enfin à Josephine Peabody qui publie, à la fin de l'année 1898, son premier recueil de poésie, *The Wayfarers* (*Les Voyageurs*) [1]. A l'occasion de la promotion de son livre, elle rencontre Day. Ensemble,

---

1. Elle publiera plus tard des pièces de théâtre (*Piper, Wolf of Gubbio, Wings...*) et des récits (*Old Greek folk stories*).

ils évoquent le souvenir de Gibran. « Ce garçon était fait pour être prophète, affirme-t-elle. Ses dessins le révèlent claire- ment, cela saute aux yeux. On ne peut qu'en être extasié, voire spirituellement subjugué. Dans chaque croquis se mani- feste une sagesse naissante... » De retour chez elle, Posy décide d'écrire à son « jeune ami » afin de le remercier pour le portrait qu'il lui avait offert :

> « Ce fut une agréable surprise le jour où je reçus mon portrait dessiné de tes mains avant que tu ne prennes le large en direction de l'Orient. Au début, j'avais du mal à croire que ce dessin m'était destiné. Comment as-tu pu garder en mémoire mon visage ?
> [...] Dernièrement, j'ai vu ton ami Day et nous avons parlé de toi. Il m'a montré un grand nombre de dessins que tu lui as confiés. J'aimerais te dire qu'ils étaient comme un baume sur le cœur. A travers eux, il me semble que je te comprends mieux et je sens que tu as toujours au fond de toi une riche joie à partager. Tu as des yeux pour voir et des oreilles pour entendre.
> [...] Je suppose que ton esprit se plaît dans ton joli pays et j'espère que tu as pu lui trouver un coin serein à l'ombre duquel tu pourras croître... Combien de pro- phètes ont grandi dans la solitude même en gardant des brebis ! Apollon n'a-t-il pas gardé les troupeaux du roi Admète ? Toute personne qui se doit de s'isoler un cer- tain temps saura comment trouver les bienheureux au cœur de la solitude, comme un printemps caché au sein d'un désert. »

On imagine le bonheur de Gibran quand il reçoit cette lettre, accompagnée du livre de Posy et de sa photo. Sans hési- ter, il prend sa plume et s'applique à rédiger sa réponse en s'efforçant de ne pas faire trop de fautes dans cette langue anglaise qu'il ne maîtrise pas encore très bien :

> « Ma chère Josephine,
> Il semble que j'aie enfin gagné votre amitié, n'est-ce pas ? Mon espoir était à deux pas de sa tombe.

C'est avec grand plaisir que j'ai reçu votre photo ; quant à votre lettre, elle a ouvert la porte de l'amitié entre nous […]. J'éprouverai toujours un amour vrai envers vous et garderai votre souvenir dans mon cœur, et il n'y aura pas de séparation entre vous et mon esprit […]. Les jours se sont écoulés si rapidement que je n'ai pas pu vous revoir pour mieux vous connaître jusqu'à ce que ma soif de sagesse m'incite à franchir les mers pour me déposer à Beyrouth dans un collège, étudiant entre autres l'arabe et le français. »

La lettre est touchante de naïveté. Elle est signée : « Votre ami très lointain, Kahlil Gibran ». Aussi l'adolescent se trompe-t-il en écrivant le nom de son amie : comme la lettre « P » n'existe pas en arabe, il l'appelle « Miss Beabody » ! La jeune fille reçoit la missive avec joie. Elle recopie soigneusement « cette merveille » dans son journal intime « pour mieux la préserver ». A l'évidence, Gibran ne la laisse pas indifférente. Mais il a neuf ans de moins qu'elle. Quel avenir pour cette relation qui naît ?

Au début de l'année 1900, avec le siècle qui commence, Gibran et son ami Youssef décident de créer une revue intitulée *Al Manara, Al Haqiqa, Al Nahda* : « Phare, Vérité, Renaissance ». Gibran y publie ses propres textes, accompagnés de ses dessins. Comment oublier cette expérience exaltante ? « Youssef Hoayek et moi publiâmes une revue : lui en était le directeur et moi, le rédacteur en chef. Au début, nous l'imprimâmes sur du papier de mauvaise qualité ; puis, l'année suivante, le supérieur nous autorisa à utiliser l'imprimerie du collège », se souviendra-t-il. Un soir, incapables de trouver le sommeil, les deux amis quittent leur dortoir et gagnent la terrasse : « Gibran se mit à m'entretenir du firmament, des sphères célestes et de l'incommensurable univers, rapportera Youssef. Il me disait que la Terre n'est qu'un atome de poussière sur le cratère d'un immense volcan, et que les hommes qui croient connaître Dieu n'en savent absolument rien. L'homme est semblable à une échelle infinie qui de ses pieds touche la terre, et de sa tête les cieux… »

Au mois de juillet, Gibran se rend à Bécharré pour y passer les vacances d'été. Le tempérament irascible de son père ne s'est pas amélioré : il le blesse souvent, raille ses « délires », ne comprend pas qu'il veuille se consacrer à la peinture ou à la littérature. Encore meurtri par ses démêlés avec la justice, il espère que Gibran embrassera la profession d'avocat. L'adolescent est las des remarques désobligeantes de son père : il quitte la maison familiale et s'en va vivre dans la cave d'une bastide appartenant à un notable du bourg, Raji Daher, ou chez sa tante Leïla. Le jour, il passe des heures à lire, près de la source de Mar Sarkis ; la nuit, il lui arrive de dormir à la belle étoile.

Profitant de cette période de désœuvrement, Gibran reprend contact avec le Dr Sélim Daher. Celui-ci lui récite des poèmes, lui raconte des histoires qu'il recopie sur ses cahiers, et lui lit *Le Cantique des Cantiques* et d'autres passages de la Bible. Grâce à lui, Gibran rencontre Hala, l'aînée d'un notable du village, Tannous Hanna Daher, qui succombe à son charme. Mais le frère de la jeune fille, Iskandar, veille au grain. Il signifie à « l'étranger » que cette relation est sans espoir : socialement, il existe une trop grande différence entre les deux familles. Et puis, Hala est son aînée de deux ans. Gibran n'insiste pas. Dans cette région du Liban, on ne badine pas avec l'amour.

Quelques mois plus tard, à l'âge de dix-huit ans, Gibran fait la connaissance de Sultana Tabet, la sœur d'Ayoub, son camarade de classe. Elle est âgée de vingt-deux ans et vient de perdre son époux. De l'aveu même de l'artiste, « elle était belle, avait des talents et aimait la poésie ». Les grands yeux clairs de Sultana, ses longs cheveux, ses lèvres sensuelles, son fin menton – tels qu'ils apparaissent dans le portrait que Gibran lui consacrera –, confirment ce jugement. Quatre mois durant, ils se fréquentent, échangent des livres où ils notent remarques et critiques. « L'amour, par un jour, de ses rayons magiques, m'ouvrit les yeux, et, pour la première fois, il effleura mon âme de ses doigts de feu. J'avais dix-huit ans [...]. Quel homme ne se souvient pas de la première fille qui, par sa douceur et sa pureté, transforma l'indolence de sa jeunesse en un éveil redoutable, poignant et ravageur ? Quel est celui qui ne se consumerait pas de nostalgie au souvenir de cet instant étrange ? [...] A cette époque, j'errais entre les influences de la nature et l'interprétation inspirée des livres et des Ecritures, lorsque, par les lèvres de Salma, l'amour se fit entendre dans l'oreille de mon âme », écrira-t-il dans *Les Ailes brisées* où l'héroïne, Salma Karamé, ressemble singulièrement à Sultana Tabet. Mais cet amour-là sera de courte durée : Sultana décède brusquement. La tristesse de Gibran est d'autant plus grande qu'on lui envoie des objets ayant appartenu à la défunte : « Un mouchoir de soie, quelques bijoux et un paquet de dix-sept lettres. » Ce sont des lettres d'amour que la jeune femme lui écrivait sans oser les lui remettre. « Nul ne peut imaginer la douleur que j'ai pu ressentir, écrira Gibran. Pourquoi ne me les avait-elle pas envoyées plus tôt ? »

Au collège, l'élève Gibran progresse. En juillet 1901, un de ses poèmes est sélectionné pour le prix du mérite. « Je déployai de grands efforts pour remporter le concours de poésie, raconte-t-il. C'était quelque chose de capital dans la vie estudiantine. Pour le Collège de la Sagesse, l'excellent élève était le plus doué en poésie. J'aspirais fort à remporter ce prix. » La veille de la proclamation des résultats, il voit le Christ en songe. Prémonition ? Au réveil, on lui apprend qu'il a remporté le premier prix.

Pendant ce temps, en Amérique, Day, absorbé par la photo, décide de liquider sa maison d'édition – qui compte près de cent titres mais qui n'a jamais été vraiment rentable –, et de réaliser enfin son rêve : un voyage en Orient. A-t-il rencontré Gibran lors de son périple ? Rien ne permet de l'affirmer. On sait que Day s'est rendu en Algérie. Et il existe une lettre de Gibran, datée du 5 avril 1901, où le jeune homme informe son père qu'il compte « effectuer une tournée en Syrie et en Palestine, ainsi qu'au pays du Nil, en compagnie d'une famille américaine... ». Dans un autre courrier à May Ziadé, il écrit : « Quand j'étais en Egypte, j'allais deux fois par semaine passer de longues heures assis sur le sable doré, les yeux rivés sur les Pyramides et sur le Sphinx. A cette époque, j'avais dix-huit ans ; mon âme frémissait devant ces phénomènes artistiques comme l'herbe frissonne face à la tempête... »

A l'issue de ce voyage, Gibran commence à préparer son retour en Amérique : son apprentissage est terminé ; sa famille lui manque. On lui dit que Sultana est malade. Il est embarrassé : quel crédit accorder à cette nouvelle ? A-t-elle été inventée pour l'inciter à revenir au plus vite auprès des siens ?

N'hésitant plus, Gibran prend la mer en avril 1902. Avant de quitter le Liban, il confie à son cousin Boulos Bitar Kayrouz les sept livres qu'il avait rapportés de Boston, accompagnés de notes et de quelques esquisses représentant une femme, saint Jean-Baptiste, un coucher de soleil..., en espérant les récupérer un jour. Mais, au fond de lui, il sait qu'il ne reviendra plus : « Les chants du Liban n'atteindront plus jamais mon oreille si ce n'est en rêve... »

4

TRAGÉDIES

Sur le chemin du retour, Gibran s'arrête à Paris. Il y apprend le décès de sa sœur Sultana – celle qui, au dire de Day, lui ressemblait le plus « tant sur le plan physique que sur le plan du caractère » –, survenu le vendredi 4 avril 1902, vers neuf heures du matin. Elle n'avait que quatorze ans. Gibran est terrassé par cette nouvelle : Que s'est-il passé ? Pourquoi cette mort prématurée ? « A partir de l'année 1900, raconte Mariana, l'autre sœur, Sultana eut des ganglions des deux côtés du cou. Le médecin lui prescrivit des médicaments et confia à Boutros qu'elle ne vivrait pas très longtemps et qu'on ne pourrait pas l'opérer car elle risquerait de ne pas supporter l'opération. En septembre 1901, elle fut atteinte d'une phtisie galopante. Un jour de janvier 1902, à mon retour à la maison, Sultana me montra ses jambes enflées jusqu'aux genoux et me dit avec des larmes amères : "A présent, je ne pourrai plus jamais me relever." En effet, depuis ce jour-là, elle devint incapable de marcher. Souvent, elle disait : "Ah, combien me manquent Gibran et mon père ! Ah, si je pouvais les revoir ne serait-ce qu'un instant, et que par la suite Dieu m'emporte pour toujours !" »

Gibran arrive à Boston le 13 avril. Il est accueilli par une famille en pleurs, affligée par la perte de la jeune Sultana. Par pudeur, pour ne pas remuer le couteau dans la plaie, il évite d'évoquer le souvenir de la défunte. Respectant la coutume, il décide, en signe de deuil, de se couper les cheveux et de s'habiller en noir.

Quelques jours plus tard, les Gibran déménagent du 9, Oliver Place pour s'installer au 7, Tyler Street, à côté de l'église maronite Notre-Dame des Cèdres. Le curé de la paroisse, Mgr Estephan Douaihy, habite dans ce même immeuble : il passe souvent chez ses voisins pour les consoler et discuter religion avec Gibran. C'est à cette époque que le jeune homme évoque devant sa mère son projet, ébauché au Liban, d'écrire un livre intitulé : *Pour que l'univers soit bon*, l'embryon de son futur livre, *Le Prophète*. « Laisse-le fermenter avec le temps », lui conseille-t-elle. Bien qu'elle n'ait jamais douté des capacités de son fils, Kamlé juge que l'heure n'est pas encore venue, que ses idées doivent mûrir. Gibran lui donnera raison : vingt ans durant, il laissera ce livre germer dans son esprit.

Et Josephine ? Le deuil de Sultana a détourné Gibran, pour un moment seulement, de celle qu'il n'a pas oubliée. Le 6 novembre 1902, il lui écrit pour lui annoncer qu'il est de retour. Pendant ces quatre années où Gibran était absent, elle n'a pas perdu son temps : elle a publié deux nouveaux livres et une pièce de théâtre ; après avoir enseigné au Wellesley College, elle est allée passer un été en Angleterre. Ayant reçu la lettre de son admirateur, Josephine lui répond dès le lendemain et l'invite à une réception, le dimanche 16 novembre. Gibran ne se fait pas prier. Les retrouvailles sont chaleureuses. Sans vraiment être amoureuse du jeune homme, Posy est flattée d'être sa muse : « Si je le vois trop souvent, il fera de moi un Bouddha », écrit-elle dans son journal intime. Mais elle est aussi fascinée par ce jeune homme « différent », par ses idées et par son œuvre picturale : « A présent, il écrit des poèmes en arabe. Ses nouveaux dessins, je vais bientôt les voir. Je suis sûr qu'ils ébranleront le monde un jour ou l'autre. Durant ces cinq ans, le fait que j'ai été consciente du doux cœur de ce jeune prophète a été pour moi une consolation. » « Prophète » ? Le mot est prémonitoire. Josephine est sans doute l'une des premières à avoir mesuré la spiritualité inhérente à l'œuvre de « ce jeune mystique », ce « génie », que sa sœur Marion regarde comme un « ange »...

Les rencontres entre Posy et Gibran vont se multiplier. Ils s'écrivent fréquemment, se rendent ensemble à des concerts, assistent à une représentation du *Parsifal* de Wagner. Il lui offre toutes sortes de cadeaux : un *nay*, un nouveau portrait en pastel, accompagné de cette phrase éloquente qui ressemble à une invite : « Prenez garde, ô âme, car l'amour vous parle : alors écoutez : "Ouvrez les écluses de votre cœur et accueillez l'amour, vous en serez glorifiés" »... Pour lui, elle est la « chère amie », la « bien-aimée », le « doux amour ». Il signe les lettres qu'il lui envoie de ses initiales tracées sous forme d'arabesque : « G.K.G. » Dans son journal intime, Posy l'appelle ainsi. Il est le « familier de [son] âme », cette « créature de génie » dont elle essaie d'être « la marraine » (en mai 1903, elle fera en sorte que ses dessins soient exposés au Wellesley College) ; elle est son inspiratrice. Mais il y a, dans l'attitude de la jeune fille, quelque chose de présomptueux, d'arrogant même, qui met mal à l'aise. Josephine – que Gibran trouve « vaniteuse à propos de sa beauté » – est convaincue qu'elle nourrit le talent de l'artiste, se croit indispensable à l'équilibre du jeune homme et à sa créativité : « Tout ce qu'il m'est possible est de continuer à exister pour lui », écrit-elle. Et ailleurs : « A chaque fois que je lui tends mes mains emplies d'espoir, il y puise des idées, du bonheur et de la plénitude. Puis j'écoute ses remerciements et le regarde partir avec de la liberté et de la gloire en son cœur. Que Dieu bénisse celui qui reçoit de moi les présents que je donne de bon cœur... » Elle considère son ami comme « une brebis blessée du troupeau du Seigneur que j'ai la bonne fortune de nourrir en quelque sorte... ». Comme si son rôle de muse ne suffisait pas, Posy s'érige en Pygmalion.

L'un et l'autre traversent des moments difficiles, et cette complicité dans l'adversité cimente leur amitié (« Une âme triste et affligée trouve le repos en fusionnant avec une autre âme qui éprouve les mêmes sentiments, écrira Gibran. Dans la tristesse se tissent des liens plus solides que dans le bien-être et la joie... »), car c'est bien d'amitié qu'il s'agit, du moins aux yeux de Josephine. Gibran, de son côté, divinise tellement la jeune femme qu'elle devient pour lui la personnification de la féminité, l'intermédiaire vers cette entité féminine suprême qu'il baptise « Elle ». Dans ce contexte, une relation physique est improbable : « Et mon amour, lui écrit-il, ne donne pas naissance au désir, ne suscite aucune pensée égoïste [...]. Ce sont les esprits faibles qui cèdent à la chair : ils ne peuvent aimer. » Pourtant, en octobre 1903, tout bascule. Que s'est-il passé ? Posy reproche à Gibran sa « suggestion plus ou moins exaspérante », littéralement : « *your infuriating suggestion more or less* ». De quoi s'agit-il ? Une déclaration d'amour ? Une demande en mariage ? Toujours est-il que la jeune femme est si furieuse qu'elle déchire toutes les lettres que son ami lui a envoyées depuis le mois d'août. Pourquoi avoir détruit ces lettres et conservé les précédentes ? Sans doute Gibran a-t-il changé d'attitude à son égard depuis cette date-là, peut-être lui a-t-il écrit, à partir du mois d'août, des choses qu'elle préfère oublier... Dès le mois de mai, les lettres de Gibran sont déjà plus « hardies » : « Je viens de dire bonjour à la rose que vous m'aviez donnée hier soir. J'ai embrassé ses lèvres et je vous ai imaginée les embrasser, vous aussi. » Le poète aurait-il continué sur sa lancée ?

Bien qu'ils n'arrêtent pas de s'écrire (mais le ton n'est plus le même) et qu'ils continuent à se voir de temps en temps (en 1904, il passe le réveillon de Noël et son vingt-deuxième anniversaire en sa compagnie), Gibran et Posy comprennent enfin que leur relation est fondée sur un malentendu : il l'aime ; elle aime qu'il l'aime. Peu à peu, ils prennent leurs distances. En guise de cadeau de rupture, il lui offre une vieille bague en argent, vieille de deux siècles, que son grand-père maternel, le père Estephan, avait prise de la main d'une statue de la Vierge pour la lui donner à l'occasion de son baptême.

Fallait-il qu'il l'aimât pour se séparer d'une telle relique ! Il dessine aussi son portrait et l'accompagne de deux lignes en anglais qui en disent long sur les sentiments qu'il éprouvait à son égard : « Je vous ai aimée avec confiance, à présent je vous aime avec appréhension. Je vous ai aimée comme je n'ai jamais aimé, mais j'ai peur de vous. » Excédée par ses malheurs financiers, Posy finit par se jeter dans les bras d'un Anglais, Lionel Marks, professeur à Harvard. Gibran voit d'un mauvais œil ce rival bardé de diplômes et pourvu d'une bonne situation. Il prend conscience de ses faiblesses et mesure sa naïveté. Mais les dés sont jetés. Dans un texte intitulé « Conversation secrète », il lance un appel désespéré à celle qui occupait ses pensées et qui vient de partir :

> « Où es-tu ma bien-aimée ? Entends-tu par-delà les mers mon appel et mes plaintes ? Vois-tu ma faiblesse et mon humiliation ? […] Ah ! combien grand est l'amour et combien je suis petit ! »

En 1906, Posy épouse son prétendant. Bien qu'invité au mariage, Gibran refusera d'y assister.

Entre-temps, le destin frappe encore la famille Gibran. A Boston, et notamment dans le South End, la tuberculose fait des ravages. Boutros, qui est constamment en contact avec la clientèle, commence à tousser. Le médecin qui l'ausculte lui recommande de retourner au Liban pour fuir l'air pollué de la ville. Boutros préfère s'installer à Cuba pour ne pas trop s'éloigner de sa famille et continuer à vendre sa marchandise. Mais rien n'y fait : la maladie le ronge ; il maigrit chaque jour davantage.

Le 15 décembre 1902, atteinte d'une tumeur, Kamlé est hospitalisée. Mariana, la seule à travailler encore pour subvenir aux besoins de la famille, se rend à son chevet au Massachusetts General Hospital. « Ma mère fut opérée, raconte-t-elle. A sa sortie du bloc opératoire, le chirurgien confia à une amie de la famille que ma mère avait le cancer. Je demandai à Gibran de me dire en arabe ce qu'était le cancer. Au fur et à mesure qu'il m'expliquait, nos larmes coulaient. Peu de temps après, Gibran réussit à la ramener à la maison, lui permettant de vivre tranquillement ses derniers jours auprès de nous. » Une semaine après la sortie de Kamlé de l'hôpital, Boutros revient de Cuba. Il est si amaigri que sa sœur elle-même ne le reconnaît pas. Boutros occupe une chambre, Kamlé une autre. Mariana dort sur un matelas dans le couloir qui sépare les deux pièces. Profondément meurtri, Gibran note en arabe ces phrases empreintes de révolte contre le destin aveugle qui n'a rien épargné :

> « Me voici tentant de capturer par écrit quelques pensées qui passent comme des nuées d'oiseaux. Qu'est-ce que ma vie et qui voudrait bien l'acheter ? A quoi bon ces grands espoirs, ces nombreux livres et ces étranges dessins, à quoi sert ce savoir qui me tient compagnie ? Quelle est cette terre aux mâchoires béantes et à la poitrine dénudée qui cherche à dévorer encore et encore ? »

La situation des deux malades empire. Mariana est désespérée : comment leur prodiguer les soins nécessaires pour alléger leurs dernières souffrances – car ce sont les dernières, et nul ne se fait plus d'illusions sur leurs chances de survie – et continuer à travailler pour réunir l'argent nécessaire pour les médicaments ? Day, que Gibran appelle affectueusement « mon cher grand frère », leur envoie de la nourriture, mais ce geste ne suffit pas. C'est alors que Gibran réagit : oubliant ses préjugés, il décide de s'occuper de la boutique. Dans son journal intime, Josephine fait état de cette décision : « Hier, G.K.G. était chez moi, envahi par la tristesse. Toutefois, il a fait une bonne chose : contrairement à ses penchants les plus puissants, il a accepté de sauvegarder l'honneur de son frère qui est désespérément malade, en prenant en charge les affaires de sa boutique. Il pense qu'il serait malhonnête et, à la rigueur, trop facile, de déclarer la faillite de cette boutique dont les dettes ne cessent de s'accumuler. Ainsi, il a décidé d'y travailler jusqu'à ce qu'au moins les créanciers soient remboursés ; d'ailleurs, il a réussi à persuader le plus grand créancier à s'associer avec lui. Comment imaginer G.K.G. en homme d'affaires ; loin des fers de la misère ? Je sais dans mon for intérieur que cela l'angoisserait ; toutefois, je suis fière que son génie ait été assez fort pour aborder de front la situation. Il se doit de gagner et sans trop tarder. »

Le jeudi 12 mars 1903, Boutros rend l'âme. Il n'était âgé que de vingt-six ans. Gibran est éploré, qui écrit à Day pour l'informer de la nouvelle : « Mon cher frère a franchi la demeure de l'au-delà à trois heures du matin, en nous laissant dans une profonde tristesse et le cœur brisé. Je ne peux que consoler ma mère souffrante : elle, Mariana et moi, scrutons les ténèbres de l'avenir. » Le lendemain, Josephine note dans son journal intime : « Mon génie a perdu son frère et je suppose qu'à présent la pauvre mère aura du mal à vivre plus longtemps. Que puis-je faire pour lui ? Je suis désespérée de savoir que je n'y peux rien… »

Josephine ne croyait pas si bien le dire : le 28 juin 1903, Kamlé rend son dernier soupir sous les yeux d'une Mariana impuissante. Cinq minutes après son décès, à dix-huit heures sonnantes, Gibran, qui était allé ouvrir la boutique, revient à la maison et, voyant sa mère morte, s'évanouit et commence à saigner du nez et de la bouche. Ayant retrouvé ses esprits, il se penche sur le visage de Kamlé : « De toute ma vie, je n'ai jamais rien vu de si divin que cette expression de gloire qui l'auréolait… » Il sait qu'il lui restera fidèle : « La mélodie qui repose en silence au fond du cœur de la mère sera chantée sur les lèvres de son enfant. »

En quinze mois, le malheur a frappé trois fois. Gibran avoue : « Kamlé n'était pas seulement ma mère, elle était une amie. Ma vie est à présent ensevelie. » Le 29 juin, il écrit à Day : « Ma mère ne souffrira plus jamais ; quant à Mariana et moi, ses pauvres enfants, nous continuons à souffrir et mourons d'envie de la revoir. » La mort ayant décimé sa famille, Khalil, son père, sombre dans le désespoir. Il abandonne sa maison à ses créanciers et s'en va loger dans la cave pourrie de Raji Daher, ajoutant ainsi à la triple tragédie une quatrième : la sienne.

Comme sa mère avait investi dans la boutique l'argent de plusieurs amies syriennes, Gibran se trouve obligé de rembourser ses dettes. Il finit par vendre le fonds de commerce de son frère pour payer tous les créanciers et se débarrasser de ce fardeau. « Cette boutique était en passe de me tuer, se dit-il avec soulagement. Toute ma vie se consumait en elle. »

Désormais libre, il peut songer à relancer sa carrière artistique. Vers qui se tourner ? Fred Holland Day.

5

LES DÉBUTS

Baptisé « l'Athènes de l'Amérique », Boston est, à l'aube du XXe siècle, un centre intellectuel vital autour duquel gravitent des artistes connus ou prometteurs. Nombre d'entre eux, écœurés par le mauvais goût engendré par l'économie industrielle, désireux de sortir « hors des bastions du matérialisme », partent à la recherche de nouvelles voies artistiques et explorent la mythologie, les civilisations orientales, mais aussi les sciences occultes et le spiritisme, afin d'y puiser cette spiritualité capable de nourrir leur inspiration et d'assurer leur équilibre. Gibran s'immerge dans cette société bostonienne où foisonnent les mouvements mystiques comme la *New Thought,* la *Theosophical Society* ou la *Christian Science,* et les idées de Swedenborg, Phineas Quimby et Warren Felt Evans, qui se démarquent des religions institutionnalisées et croient en l'unicité de l'existence, en l'essence divine des êtres humains et en la réincarnation. La plus marquante de ces doctrines est sans doute la théosophie : fondée en 1875 par Helena Petrovna Blavatsky, une aristocrate russe qui avait pénétré la sagesse de l'Inde, du Tibet et des Druzes (qu'elle visita en Syrie et au Liban en 1865 et en 1872), elle catalysa la renaissance du bouddhisme et de l'hindouisme, contribua à faire connaître plus largement en Occident la pensée orientale et suscita un regain d'intérêt pour la métempsycose. Au contact de l'entourage de Fred Holland Day (qui n'appartenait pas lui-même à la *Theosophical Society* [1]) et, plus tard, de son amie Charlotte Teller, Gibran découvre les idées véhiculées par ce mouvement. Peu à peu, il se rend compte que la spiritualité orientale qui l'habite peut trouver un terrain fertile dans cet environnement assoiffé de mysticisme...

Le 6 janvier 1904, Fred Holland Day propose à Gibran d'exposer ses tableaux au printemps, au Harcourt Studios. Le jeune artiste accepte avec joie, bien qu'il mesure la difficulté de sa tâche : il n'a que quatre mois pour composer de nouvelles œuvres et retoucher les anciennes. Influencé par la mythologie et par William Blake, il compose de nombreux dessins au symbolisme très marqué. En mars 1904, affaibli par son travail acharné et par le climat malsain qui règne sur Boston, il tombe malade. Sa sœur et ses amis s'inquiètent : a-t-il été contaminé ? Survivra-t-il ? Heureusement, Gibran s'en sort. Son exposition se tient du 30 avril au 10 mai au Harcourt Studios, un immeuble constitué d'une quarantaine d'ateliers appartenant aux artistes peintres et photographes de la ville, dont Fred Holland Day : elle va attirer un grand nombre de curieux, mais peu d'acheteurs. Dans l'*Evening Transcript*, un critique analyse parfaitement l'œuvre de Gibran et résume ainsi son style et sa démarche : « Certaines de ses œuvres dénotent une beauté et une noblesse solennelles, et d'autres, un sens tragique terrifiant. En somme, ses dessins donnent une impression profonde et, considérant son âge, les qualités qu'il dégage sont extraordinaires par leur originalité et la profondeur de leur sens symbolique... Tous

---

1. « *Day never followed the path of Theosophy or Christian Science, two radical new religion cults of the time which had a devoted following in Boston* », écrit à cet égard Anne E. Havinga dans « Setting the Time of Day in Boston » (in Pam Roberts, *Fred Holland Day*, Van Gogh Museum, Amsterdam, 2001).

ses dessins sont [...] des allégories à caractère grave. Le plus intense désir de donner libre cours aux idées métaphysiques l'a triomphalement emporté sur les limites techniques, au point que l'imagination est très touchée par la beauté abstraite ou morale de la pensée exprimée [...]. Il y a là toute une galerie de figures nouvelles et gracieuses qui expriment les aspirations les plus pures et les ombres les plus subtiles de l'esprit. »

C'est au cours de cette exposition que Gibran rencontre Mary Haskell, celle qui jouera dans sa vie un rôle déterminant et sera son « ange gardien ». Originaire de Columbia en Caroline du Sud, issue d'une famille fortunée – elle est la fille d'un ancien officier de l'armée des confédérés, devenu par la suite vice-président de la Columbia Bank –, Mary s'est installée en Nouvelle-Angleterre pour suivre des études à Wellesley. Attirée par le milieu intellectuel de Boston, elle a préféré rester dans cette ville où, avec sa sœur Louise, elle a fondé une école de filles, la Haskell's School, située au 314, Marlborough Street. Elle aide constamment les jeunes artistes désargentés, et milite volontiers en faveur des grandes causes sociales et politiques. Cette féministe acharnée, passionnée d'équitation et d'escalade, aime tous les plaisirs. Est-ce pour se soustraire à l'emprise de sa famille conservatrice qu'elle s'est établie à Boston ? Sa vie amoureuse est compliquée, désordonnée, et ses relations affectives ou sexuelles apparaissent souvent ambiguës.

Invitée par Lionel Marks, futur époux de Posy, Mary débarque au Harcourt Studios le mardi 10 mai 1904, dernier jour de l'exposition. Gibran remarque cette femme habillée en noir, à la ceinture argentée, qui contemple une de ses toiles avec intérêt. Elle est de dix ans son aînée. D'où vient, chez Gibran, cet attachement à des femmes plus âgées que lui ? Est-ce le désir de trouver un substitut maternel ? Ou bien, tout simplement, sa maturité d'esprit qui le met « à la portée » de ses conquêtes ? Mary n'est pas particulièrement belle, avec son corps athlétique, sa figure allongée, ses épais sourcils, son teint hâlé par ses excursions dans les montagnes de Californie, ses cheveux châtain clair mal coiffés, mais son visage est lumineux et ses yeux bleus brillent d'un éclat vif. Prenant son courage à deux mains, il l'aborde :

— Souhaitez-vous, Madame, que je vous explique le sens de certains tableaux ?

— Avec plaisir, lui répond Mary Haskell qui ne l'a pas reconnu. Et je ne vous cache pas que j'ai grand besoin qu'on m'explique ces œuvres ; car elles ne sont pas habituelles en art. Il est vrai que j'aime l'art, mais je ne suis pas artiste moi-même. Etes-vous artiste ?

— J'ai l'honneur de l'être.

— Connaissez-vous l'auteur de ces toiles ?

— C'est moi !

Mary Haskell écarquille les yeux et dévisage avec curiosité le peintre « jeune, brun et de petite taille » qui lui fait face.

— Vous ! Vous avez certainement fait vos études artistiques à Paris...

— Non ! J'ai étudié par moi-même et avec l'assistance de certains artistes à Boston.

— Si jeune et si doué ! Dites-moi, pourquoi tous ces corps nus dans vos œuvres ?

— Parce que la vérité est nue. Et que le corps nu est le symbole le plus proche et le plus beau de la vie...

— Et pourquoi ces symboles de mort et de douleur ?

— Parce que la mort et la douleur ont été mon lot jusqu'à présent. En deux ans, j'ai perdu ma sœur, mon frère et ma mère. Chacun d'eux occupait une place importante dans mon cœur.

— Je partage votre douleur. Et la larme que je vois dans vos yeux, les larmes de mon cœur la comprennent. Comme vous, je viens de perdre ma mère. Ainsi donc, nous sommes liés par deux parentés : la parenté de l'art et celle de la douleur.

— La parenté de la douleur est plus forte que la parenté de la joie et celle du sang !

Mary remercie l'artiste, lui demande si l'exposition a bien marché, et l'invite à lui rendre visite à l'école dont elle est la fondatrice et directrice.

Cet épisode, Gibran ne l'oubliera jamais : « Les gens présents à cette exposition aimaient à me faire parler, car ils voyaient en moi quelque chose de bizarre, écrira-t-il plus tard à Mary. En somme, ils se plaisaient à observer le singe. Quant à vous, vous étiez différente des autres : vous cherchiez à écouter ce qui était en moi, à me faire parler en m'incitant à creuser au plus profond de moi-même. Et cela me plaisait. »

Quatre jours plus tard, Gibran est invité à prendre le thé à la Haskell's School. Mary lui propose d'exposer ses œuvres pendant deux semaines dans les locaux de l'école. Il ne se fait pas prier. A l'issue de l'exposition, leurs rencontres deviennent plus fréquentes.

Après un court séjour au bord de la mer, à Five Islands où Day possède une maison d'été, Gibran revient à Boston bien déterminé à trouver un travail plus lucratif que la peinture : il est tourmenté de scrupules à l'idée que sa sœur Mariana se tue au travail à l'atelier de couture pour couvrir les frais de la maison. Apprenant qu'un jeune émigré libanais nommé Amin Gorayeb vient de fonder un journal arabe à New York, intitulé *Al-Mouhajer*, c'est-à-dire « L'Emigrant », il l'invite chez lui et lui montre aussi bien ses dessins et les critiques élogieuses parues à son propos, que son cahier émaillé de poèmes en prose en arabe. Gorayeb accepte tout de suite d'ouvrir les colonnes de son journal à son compatriote et de lui payer deux dollars par semaine. Quelques mois plus tard, le premier article de Gibran paraît dans *Al-Mouhajer* sous le titre : « Vision », un texte empreint de lyrisme où il donne la parole au « cœur de l'homme, captif de la matière et victime des lois des mortels ».

Le 12 novembre 1904, c'est la catastrophe : l'immeuble Harcourt prend feu. Un incendie monstre ravage ses quarante ateliers, et réduit en cendres le matériel et les photos de Fred Holland Day – 2000 négatifs au total –, ainsi que les dessins que Gibran avait confiés à son ami. Pour Day, ce sinistre représente l'anéantissement de dix-huit années de travail. Pour Gibran, le désastre n'est qu'un nouvel acte de la tragédie qu'il vit depuis deux ans… A Josephine qui s'efforce de le consoler, Gibran a ces mots désabusés : « L'essentiel est de savoir qu'on est toujours en vie. » Et à Mary Haskell qui, pour lui remonter le moral, lui envoie une lettre de sympathie (la première d'une correspondance étalée sur une période de vingt-trois ans, riche de six cent vingt-cinq lettres édifiantes, quoique parfois trop lyriques), il affirme : « Ma chère Miss Haskell, c'est la sympathie des amis qui transforme le malheur en une douce tristesse... »

Dans *Al-Mouhajer*, comme pour exorciser le malheur qui s'est abattu sur lui, il publie un article remarquable, éloquemment intitulé *Lettres de feu* :

> « La mort détruit-elle tout ce qu'on construit et le vent pulvérise-t-il tout ce que l'on dit ? La vie est-elle ainsi ? [...] L'homme n'est-il qu'une écume qui émerge un instant et, quand la brise passe, est réduite à néant ? Non, et je le jure sur ma vie. Car la vérité de la vie est vie [...]. Dans le monde à venir, nous verrons chaque onde de nos sensations. Et nous atteindrons la quintessence de notre divinité que nous méprisons de nos jours, accablés par le désespoir [...]. Les malheurs que nous endurons aujourd'hui seront les lauriers de nos lendemains. »

Encore sous le choc de l'incendie, Gibran écrit plus qu'il ne dessine. « Je ne sais que faire de mes crayons de couleur ; peut-être que je les laisserai dans les oubliettes », confie-t-il à Mary. Désormais, dans le journal de Gorayeb, il tient une rubrique régulière intitulée : « Pensées », qu'il rebaptisera, un peu plus tard, « Larme et sourire ». Il y fait ses premières armes d'écrivain et y parle d'amour, de beauté, de jeunesse et de sagesse. En 1905, il publie en arabe, aux éditions *Al-Mouhajer* situées au 21, Washington Street à New York, son premier livre, un court essai en arabe intitulé *La Musique* où, dans un style imagé, il parle de la musique comme d'une bien-aimée, source de souvenirs et de sentiments, qui transporte l'âme humaine bien au-delà du monde de la matière :

> « La musique est bel et bien le langage des âmes, et les mélodies sont des brises suaves qui font frémir les cordes du cœur. Ce sont des doigts de fée qui frappent

à la porte des sentiments et réveillent des souvenirs enfouis dans les profondeurs du passé... »

C'est vers cette époque que le journaliste Nassib Arida lui propose de se prêter à un questionnaire inspiré de celui de Proust [1]. Le jeune artiste accepte sans hésiter :

— Quelle est la beauté que vous préférez dans la nature ? lui demande son interlocuteur.

— La montagne, répond-il, songeant sans doute à Bécharré.

— Et votre saison préférée ?

— L'automne.

— L'odeur que vous aimez ?

— Celle des brindilles dans le feu.

— Quel est votre prénom favori ?

— Salma.

— Quelles sont les sculptures que vous aimez ?

— Celles de Michel-Ange [2].

— Vos poètes préférés ?

— Shakespeare, Al-Moutanabbi, Majnoun Layla [3], Abou Nouwas [4]... tous étaient fous.

— Et vos auteurs favoris en prose ?

— Ibn Khaldoun comme penseur ; Nietzsche pour son imagination ; Tourgueniev comme imagier.

— Vos héros dans la fiction ?

— Hamlet, Brutus [5], Francesca Da Rimini [6].

---

1. Ce questionnaire très peu connu est cité par Jamil Jabre, in *Gibran dans son époque et dans son œuvre littéraire et artistique*, Naufal, 1983, p. 54.

2. Dans une carte postale représentant une sculpture de Michel-Ange, envoyée à May Ziadé le 3 novembre 1923, Gibran saluera le génie de l'artiste.

3. Le « Fou de Layla » vécut au VIIIe siècle et consacra sa vie et son œuvre à celle qu'il aimait, au point de sombrer dans la démence.

4. « Enfant terrible de la poésie arabe », Al Hassan Ibn Hani (762 - env. 813) célébra dans son œuvre le vin et l'amour.

5. Il s'agit probablement de l'idéaliste déchiré du *Jules César* de Shakespeare.

6. Héroïne du cinquième chant de *L'Enfer*, dans *La Divine Comédie* de Dante. Fille d'un seigneur de Ravenne, elle fut donnée en mariage à Gianciotto Malatesta, fils du tyran de Rimini. Surprise en compagnie de son amant, elle fut tuée en même temps que lui.

– Dans quelle époque auriez-vous aimé vivre ?

– L'époque actuelle, car elle comprend tout ce que les époques révolues ont laissé.

– Le pays où vous désireriez vivre ?

– Le Liban.

– Votre qualité préférée chez un homme ?

– La loyauté.

– Et chez une femme ?

– La pureté.

– Ce que vous voudriez être, si vous n'étiez pas Gibran Khalil Gibran ?

– Gibran Khalil Gibran.

– Quels sont, selon vous, les mots les plus doux ?

– L'amour, la nature, Dieu.

– Quel est votre but dans la vie ?

– Le travail, le travail, et encore le travail.

– Quel est le personnage historique que vous préférez ?

– Mahomet.

– Et votre héroïne préférée ?

– Zénobie et Jeanne d'Arc.

– Quels sont les livres que vous préférez lire ?

– Le Livre de Job, *Macbeth* et *Le Roi Lear*.

Questionnaire révélateur : Gibran admet, à 23 ans, avoir subi l'influence de Nietzsche, Shakespeare, Michel-Ange et du Livre de Job. Il fait montre d'une grande détermination (il veut être lui-même, souhaite se concentrer sur son travail), éprouve déjà une grande fascination pour les « fous », salue en même temps Mahomet et Jeanne d'Arc – preuve supplémentaire de son ouverture d'esprit – et affirme clairement son attachement à son pays natal. Quant à ses réponses relatives à Salma et à Francesca Da Rimini, elles sont annonciatrices de deux de ses ouvrages : *Les Ailes brisées* et *Les Esprits rebelles* où le récit intitulé « Le lit de la mariée » rappelle la tragédie de Francesca dans l'œuvre de Dante. On ne le dira jamais assez : en écriture aussi bien qu'en peinture, dès son plus jeune âge, Gibran a tracé sa trajectoire avec précision...

A l'automne de l'an 1906, Gibran publie en arabe *Les Nymphes des Vallées*, un recueil de trois contes allégoriques : « Les Cendres des siècles et le feu éternel », « Martha la Banaise » et « Youhanna le Fou ». Le premier raconte l'histoire d'un prêtre phénicien qui perd sa fiancée et qui, deux mille ans plus tard, réincarné en berger, la retrouve en paysanne ; le deuxième est l'histoire d'une orpheline séduite puis abandonnée par un riche citadin, l'occasion pour Gibran de dénoncer les inégalités sociales et de fustiger l'exploitation de la femme par l'homme ; le troisième évoque les démêlés d'un berger avec les moines d'un monastère et condamne le despotisme et la rapacité du clergé de l'époque : « Viens de nouveau, ô Jésus vivant, déclare Youhanna le Fou, et chasse de tes temples les marchands de religion, ils en ont fait des antres où ondulent les vipères de leurs ruses et de leurs mensonges... »

L'ouvrage, teinté de romantisme, annonce déjà les thèmes chers à l'auteur : la grandeur du Christ opposée à la petitesse du clergé, la folie comme source de vérité et de liberté, et la métempsycose :

> « Je m'embarque mon bien-aimé sur une arche d'esprit et je reviendrai dans ce monde, car la Grande Astarté [1] ramène à la vie les âmes des humains aimants qui sont parties pour l'Eternité avant d'avoir joui de la douceur de l'Amour et du bonheur de la Jeunesse... »

Dès sa parution, l'ouvrage suscite la méfiance dans les pays arabes. Gibran le sait, qui écrit à son cousin Nakhlé :

> « En Syrie, le peuple me qualifie d'impie, et en Egypte, les hommes de lettres me dénigrent en disant : "Il est l'ennemi des lois justes, des liens familiaux et des traditions ancestrales." Et ils ont raison, car après réflexion, je sais que mon âme abhorre les lois faites par l'homme pour l'homme, et j'abhorre les traditions léguées aux générations futures. Cette haine est le fruit de mon

---

1. Déesse de la fécondité chez les Phéniciens.

amour pour le sentiment spirituel et sacré qui devrait être la source de toute loi ici-bas, car il est le reflet de Dieu en l'homme... Je sens qu'il y a une grande puissance dans la profondeur de mon cœur qui veut se révéler, et elle se manifestera avec le temps si telle est la volonté du Ciel. »

Paroles prémonitoires d'un artiste qui, comme un prophète, se sait investi d'une mission.

6

LA VILLE LUMIÈRE

Le 6 janvier 1907, Gibran fête son vingt-quatrième anniversaire. Mary Haskell l'invite à prendre le thé à l'école qu'elle dirige. Il s'y rend avec un exemplaire dédicacé de son dernier livre. S'isolant dans un coin, il dessine deux croquis, comme si, au contact de sa « parente en art », le démon de la peinture était revenu l'habiter. Quelques mois plus tard, répondant au vœu de son amie, il fait son autoportrait avec, en toile de fond, un visage féminin. Il date le tableau (1908), le dédie à MEH (Mary Elisabeth Haskell), et signe par un étrange monogramme comportant ses initiales.

A cette époque, Gibran commence à fréquenter secrètement une pianiste, Gertrude Barrie, qui devient sa maîtresse : le studio de la jeune femme, au deuxième étage d'un bâtiment situé au 552, Tremont Street, accueille leurs ébats. Leur relation durera plusieurs années, sans qu'elle laisse la moindre trace dans ses écrits...

Au début de l'année 1908, Mary invite Gibran à dîner en compagnie de deux amies : la première se nomme Charlotte Teller. Née en 1876, cette journaliste divorcée, proche des théosophes et très extravertie, cherche à réussir comme écrivain (elle vient de publier chez Appelton un roman intitulé *The Cage*) et voue à Mary une véritable passion (« Personne ne peut m'aimer autant que toi, ni même comme moi je t'aime », lui écrit-elle). La seconde est une Française, Emilie Michel, née en 1880, que Mary a sélectionnée lors d'un voyage en Europe et qu'elle a ramenée avec elle à Boston pour lui confier la responsabilité des cours de français à la Haskell's School. Férue de théâtre, la jeune fille rêve de monter sur les planches et de conquérir Broadway... Le courant passe entre les trois invités. Au cours de la soirée, Gibran esquisse le portrait de Charlotte qu'il juge « étrangement belle ». Il en profite aussi pour exposer aux jeunes femmes sa conception de l'art et de Dieu :

> « La plupart des religions parlent de Dieu au masculin. A mes yeux, Dieu est autant une mère qu'un père. Il est à la fois père et mère. Et la femme est l'exemple du Dieu maternel. Nous pouvons saisir le Dieu paternel par la raison ou l'imagination. Mais l'amour est le chemin vers le Dieu maternel... »

Tout au long de la soirée, Mary observe son invité avec attention. Il a les cils longs, soyeux, et des yeux pareils à « des étoiles qui se reflètent dans une eau profonde ». Elle admire son visage qui « change comme les ombres des feuilles, à chaque pensée, à chaque sentiment », et sa « beauté simple et nébuleuse qu'aucune image ne peut contenir ». Cet homme inspiré est différent des autres ; il a l'étoffe des prophètes. Elle décide de prendre en main sa carrière.

Peu après avoir invité Gibran à venir à l'école pour dessiner devant les élèves (le peintre en avait profité pour faire le portrait d'Emilie Michel !), Mary Haskell l'accueille chez elle. Ils boivent du café, fument des cigarettes, et évoquent l'avenir. Gibran lui avoue qu'il ne progresse plus, qu'il a besoin de s'améliorer. Elle propose de l'envoyer pendant un an à Paris, à ses frais, afin qu'il se perfectionne. Gibran tombe des nues : il savait Mary attentionnée, il ne la savait pas si généreuse, si dévouée à son égard. Paris ! Il a toujours rêvé de visiter la Ville lumière. A Jamil Maalouf, un jeune poète libanais, il écrit :

> « J'ai ouï dire que tu allais retourner à Paris pour y vivre. Moi aussi, j'aimerais y aller. Serait-il possible que nous puissions nous rencontrer dans la Cité des Arts ? Nous rencontrerons-nous au Cœur du Monde pour visiter l'Opéra et la Comédie-Française, et parler des pièces de Racine, de Corneille, de Molière, de Hugo et de Sardou ? Nous retrouverons-nous là-bas pour nous promener là où se dressait la Bastille, et puis, retourner dans nos chambres, animés par l'esprit de Rousseau et de Voltaire, et écrire sur la Liberté et la Tyrannie, afin que nous soyons de ceux qui collaborent à la destruction de toutes les Bastilles qui se dressent dans toutes les villes d'Orient ? Irons-nous au Louvre pour admirer les tableaux de Raphaël, de Vinci et de Corot, et écrire sur la Beauté, l'Amour et leur influence sur le cœur des hommes ? »

Le soir du 12 février, Gibran écrit à Amin Gorayeb : « Ces anges qui se trouvent à Boston, lui confie-t-il, songeant sans doute à Day et Haskell, me font voir un avenir lumineux et ouvrent devant moi la voie du succès moral et matériel... Ce sera, si Dieu le veut, le commencement d'un nouveau chapitre dans l'histoire de ma vie. » Le 28 mars, il annonce à son éditeur, qui se trouve au Liban, qu'il va quitter « ce Boston bruyant et braillard » pour se rendre à Paris :

> « Je suis, ces jours-ci, comme un homme qui observe le Carême et qui attend la venue de l'aube du festin. Mon prochain voyage à Paris pousse mes rêves à rôder autour des grandes réussites qui, je l'espère, seront les miennes durant l'année que je passerai dans la ville de la Connaissance et des Arts... Je suis sûr que tu passeras par Paris sur le chemin de ton retour vers les Etats-Unis. Nous nous retrouverons à Paris et nous serons heureux. »

81

Avant son départ, Gibran publie chez *Al-Mouhajer* son troisième livre en arabe : *Les Esprits rebelles*. A travers quatre nouvelles réalistes ayant pour cadre le Liban, il exprime sa révolte contre l'oppression des féodaux, du clergé et des hommes de loi, et dénonce avec force l'assujettissement du monde oriental aux traditions désuètes. Bien qu'elle s'estompe derrière la puissance de ses idées révolutionnaires, la spiritualité inhérente à son œuvre future n'est pas tout à fait absente :

> « La vraie lumière est celle qui jaillit de l'intérieur, elle révèle à l'homme les secrets de son âme et le bonheur d'une vie qui exalte la spiritualité... Dieu vous a dotés d'ailes pour que vous voliez vers l'amour et la liberté, pourquoi les avez-vous coupées et rampez-vous comme des insectes à ras de terre ? »

Le premier récit, « Warda al-Hani », est un réquisitoire contre les mariages forcés ; « Le Cri des tombes » se fait l'écho de trois appels lancés par des personnages injustement condamnés à mort : un jeune homme qui, en état de légitime défense, tue un officier de l'émir, une femme adultère, et un vieux serviteur ; « Le Lit de la mariée » raconte l'histoire vraie d'une jeune fiancée et de son bien-aimé, sacrifiés sur l'autel des conventions sociales et qu'on enterre dignement malgré les invectives du prêtre qui les maudit ; « Khalil l'Hérétique », enfin, est l'histoire d'un novice chassé du couvent et recueilli par une mère et sa fille. Calomnié, il est déféré devant un tribunal. Mais, contre toute attente, l'audience tourne à son avantage. Il ridiculise ses juges et provoque la révolte des villageois :

> « La loi – mais qu'est-ce que la loi ? Qui l'a vue sortir du fond du ciel et apparaître avec la lumière du soleil ? Quel humain a vu le cœur de Dieu pour connaître ce qu'Il veut pour les hommes ? Depuis quand les anges se mêlent-ils aux gens pour leur dire : interdisez aux faibles la vie et sa lumière, exterminez les mauvais sujets avec vos épées, écrasez les coupables sous vos pieds d'acier ? »

Et Gibran d'affirmer, dans un passage consacré à la Liberté :

« Pour conserver leur trône et leur tranquillité, ils ont armé les Druzes contre les Arabes, ils ont dressé les Chiites contre les Sunnites, encouragé les Kurdes à massacrer les nomades et poussé les musulmans à entrer en conflit avec les chrétiens... Jusqu'à quand le frère va-t-il tuer son frère sur le sein de sa mère [...] ; jusqu'à quand la croix se tiendra-t-elle éloignée du croissant devant l'œil de Dieu ? Ecoute, Liberté, entends-nous ! [...] Eclaire-nous et, comme la foudre, viens détruire ces trônes qui ont été élevés sur les tombes de nos ancêtres grâce à leurs biens, leur sang et leurs larmes. »

Quelques années plus tard, dans une lettre à Mary, il déclarera : « On m'appelle le fossoyeur. On pense que je suis âpre et destructif. Or, on ne peut rien construire sans avoir démoli... La touche aimable ne réveille pas les gens. » *Les Esprits rebelles* procède de ce constat. Ouvrage engagé, il est empreint d'un romantisme qu'on serait tenté de qualifier d'hugolien tant il est vrai que les accents violents et le ton véhément de Gibran rappellent, par moments, ceux de l'auteur des *Châtiments*. Le livre fera des vagues en Syrie et en Egypte. D'après certaines sources, les autorités ottomanes l'auraient même brûlé sur une place publique de Beyrouth en même temps que d'autres ouvrages jugés « subversifs »...

Gibran s'empresse de remettre *Les Esprits rebelles* à Mary, accompagné de cette dédicace : « Très affectueusement à Mary Elisabeth Haskell, qui a insufflé et qui insufflera la vie en moi, la force dans mes ailes et la beauté des gestes dans mes doigts. » Le 25 mars, il lui adresse une lettre où il affirme avoir côtoyé le Christ :

« Mon âme est grisée en ce jour. Car la nuit, j'ai rêvé de Lui, celui-là même qui a donné le royaume céleste à l'homme. Ah ! si je pouvais te Le décrire. Si je pouvais seulement te parler de cette triste joie dans Ses yeux, de cette amère douceur sur Ses lèvres, de la beauté de Ses larges mains et de Son vêtement en laine rugueuse, ainsi que de Ses pieds nus délicatement recouverts de poussière blanche. Tout était si naturel et si clair : la brume qui rend nébuleux les autres rêves n'était point là. Je me suis assis à Ses côtés et je Lui ai parlé comme si je vivais avec Lui depuis longtemps. Je ne me souviens pas de Ses propos et pourtant je le sens maintenant comme on reconnaît au matin une musique qu'on a écoutée avant de s'endormir… Aujourd'hui, la soif de mon cœur est plus grande et plus profonde que celle de tous les jours. Je suis grisé de cette soif. Mon âme est affamée de ce qui est haut et beau. Cependant, il m'est impossible d'écrire, de dessiner ou de lire. Je ne puis que m'asseoir seul en silence et contempler l'Invisible. »

D'où vient, chez Gibran, cette fascination pour Jésus ? Est-ce de son enfance, vécue dans un environnement pieux où l'on avait une grande dévotion pour la Vierge et pour le Christ dont on partageait la passion – au point de la mimer – le Vendredi saint ? Ou bien d'une adhésion, si forte qu'elle s'accompagnait d'une identification, aux idées de cet Etre supérieur qui prit le parti des opprimés et des pauvres, et prêcha la tolérance et l'amour ? Et Le voit-il vraiment en rêve ou s'invente-t-il des visions extatiques pour cultiver auprès de ses amies son image de « prophète oriental » ? Une chose est sûre : toute sa vie, Gibran vouera une admiration sans bornes au « Fils de l'Homme » que « ceux qui, frappés du caractère exceptionnel de son œuvre, appellent Dieu [1] » !

Mary et Gibran se rencontrent régulièrement. Mais bien qu'elle admette elle-même que son protégé prend de plus en plus de place dans ses pensées et dans ses rêves, leur relation ne dépasse pas encore le stade de l'amitié. En revanche, entre Gibran et la jeune enseignante française, Emilie Michel, rebaptisée « Micheline » par Mary qui trouve ce prénom mélodieux et en harmonie avec son charme, le courant passe. Micheline a le profil d'une tragédienne, avec ses longs cheveux rejetés en arrière, son long cou, son nez assez prononcé et ses grands yeux expressifs surmontés de sourcils bien dessinés. La jeune

---

1. Ernest Renan, *De la part des peuples sémitiques dans l'histoire de la civilisation*, Discours inaugural au Collège de France, 1862.

fille apprécie la compagnie de l'artiste, lui lit des poèmes en français et accepte volontiers de poser nue pour lui. Peu à peu, ils s'apprivoisent : elle veille à ménager ses susceptibilités (« Ce garçon peut être blessé facilement », constate-t-elle) ; il apprend à accepter ses remarques avec humour. Leur exil commun, leurs rêves encore inassouvis, leur passion partagée pour la France... contribuent à les rapprocher. Ils tombent amoureux l'un de l'autre, pour le grand bonheur de Mary Haskell qui, étrangement, encourage cette relation : « *All well for K + M* », note-t-elle avec satisfaction dans son journal intime. Cet amour n'a rien de platonique ; il inspire à Gibran un texte intitulé « Du premier baiser » :

> « C'est la première goutte bue dans la coupe que les déesses emplirent dans la rivière paradisiaque de l'amour...
> C'est le lien qui relie l'obscurité du passé à l'éclat du futur, le lien entre le silence des sentiments et leurs chants...
> C'est le mot prononcé de concert par quatre lèvres, qui fait du cœur un trône, de l'amour un roi et de la fidélité une couronne...
> De même que le premier regard est pareil à une graine semée par la déesse de l'amour dans le champ du cœur humain, le premier baiser est la première fleur qui éclôt au bout du premier rameau de l'arbre de la vie... »

Mais un accident survient, qui remet tout en question : d'après certaines sources [1], Micheline tombe enceinte. Sa grossesse est extra-utérine : elle doit avorter, gardant secret ce pénible événement qui marquera Gibran dans ses relations futures...

En juin 1908, Gibran s'affaire : il prépare ses bagages et fait ses adieux à ses amis. Il écrit à Fred Holland Day pour

---

1. Cf. le livre iconoclaste de Robin Waterfield, *op. cit.*, p. 135, qui se fonde sur une information parue dans la première édition arabe de la biographie de Gibran par Mikhaïl Naïmeh.

l'informer de son départ et regretter que leurs relations se soient quelque peu distendues. « Vous avez été, cher frère, le premier à ouvrir les yeux de ma jeunesse à la lumière... », lui écrit-il avec gratitude.

Le 9, un repas d'adieu est organisé en l'honneur de Gibran. Micheline décide de le retrouver en France où elle doit « rendre visite à ses parents ». Quant à Mary, elle promet de passer à Paris à la première occasion.

Le 1ᵉʳ juillet 1908, Gibran embarque à New York à bord du *Rotterdam*. Nulle tristesse dans son regard qui fixe le port qui s'éloigne : il sait qu'il reviendra.

*
* *

Paris, au début du XXᵉ siècle, est un rêve pour les artistes du monde entier : la Ville lumière est une source intarissable d'exubérance créatrice ; elle sollicite et réveille les sens, affine la perception esthétique, cultive et instruit... Gibran y débarque le 13 juillet 1908 et assiste avec émerveillement aux festivités qui accompagnent la commémoration de la prise de la Bastille – qu'il évoquait avec tellement d'enthousiasme dans sa lettre à Jamil Maalouf ! Micheline le rejoint et l'aide à trouver une chambre provisoire au cinquième étage d'un immeuble de l'avenue Carnot. Peu après, il s'installe à Montparnasse dans un studio situé au 14, rue du Maine [1]. Sans plus tarder, le jeune artiste entre à l'Académie Julian, la plus populaire des académies privées de Paris. Fondée par Rodolphe Julian, cette institution avait eu pour élèves Matisse, Bonnard et Léger, et constituait « un moyen précieux de débuter dans la carrière d'artiste : pour une somme modique, elle garantissait à de nouvelles revues un modèle, un enseignement,

---

1. Une plaque commémorative a été apposée sur la façade de l'immeuble pour rappeler que Gibran, « peintre, poète libano-américain », y vécut.

une expérience et des contacts, sans pour autant exiger d'eux des compétences particulières lors de leur inscription [1] ». Il s'inscrit aussi comme auditeur libre à l'Ecole des Beaux-Arts, rue Bonaparte, et se plie de bon cœur au rituel du bizutage : « A la cérémonie des étudiants qui était organisée pour recevoir les nouvelles recrues, j'ai dû boire comme tout le monde, racontera-t-il. Certains sont tombés de sommeil, d'autres ont été malades... Moi, je n'ai rien senti : j'étais plutôt gai et j'ai passé un agréable moment. » Comment imaginer l'atmosphère au sein des ateliers de l'époque ? Dans *In the Quarter*, l'écrivain Robert William Chambers nous renseigne sur ces lieux fréquentés par nombre d'artistes américains : « La chaleur était suffocante. Les murs barbouillés par les rebuts d'une centaine de palettes grésillaient presque en dégageant une odeur écœurante de peinture et d'essence de térébenthine. Deux poses seulement avaient été terminées, mais déjà, debout ou assis, les modèles fatigués luisaient de sueur. Parmi les garçons qui dessinaient et peignaient, beaucoup étaient torse nu. L'air était alourdi par la fumée de tabac et la respiration d'environ deux cents étudiants appartenant à une centaine de nationalités... » L'apprenti Gibran espérait sans doute mieux.

Quelques jours plus tard, Mary Haskell arrive à Paris en compagnie de son père. Gibran est très heureux de revoir sa protectrice, et d'avoir des nouvelles de Mariana – qui ne sait pas écrire – par son intermédiaire. Mais il n'arrive pas à profiter vraiment de sa présence : son père la suit à la trace ; et ses vieux amis parisiens l'accaparent.

Esseulé après le départ de Mary pour Boston et de Micheline pour Nevers où vivent ses parents, Gibran tombe malade. Mais une fois guéri grâce aux soins d'un couple d'amis libanais, les Rohayem, il se remet à fréquenter l'Académie : « Je peins ou plutôt j'apprends à peindre, écrit-il à Mary. Cela me prendra beaucoup de temps pour que je puisse peindre comme je le veux. Mais c'est si beau de sentir l'évolution de sa propre vision

---

1. John Milner, *Ateliers d'artistes : Paris, capitale des arts à la fin du XIXᵉ siècle*, éd. du May, 1990, p. 18.

des choses... Maintenant, je commence à comprendre les choses et les gens à travers mes yeux. Ma mémoire semble retenir les formes et les couleurs des personnes et des objets. »

Micheline repart pour l'Amérique et s'installe à New York dans l'espoir de réaliser son rêve et de se faire une place dans le monde du théâtre. « Elle ne doit pas rester, et je ne dois pas lui demander de rester », déclare Gibran qui ne souhaite pas faire obstacle à la carrière de son amie. Le jeune homme se réfugie alors dans le souvenir de Mary, sa confidente. La séparation la rend plus attachante, plus proche de son cœur. Il lui écrit, avec une affection proche de l'amour, ces mots empreints de nostalgie :

> « Lorsque je suis triste, chère Mary, je lis vos lettres. Quand la brume m'engloutit, j'ouvre la petite boîte où je conserve vos lettres et j'en prends deux ou trois pour les relire. Elles me rappellent mon véritable moi et me permettent d'échapper à tout ce qui n'est ni élevé ni beau dans la vie. Chacun de nous, chère Mary, doit avoir quelque part un lieu de repos. Celui de mon âme est un joli bosquet où vivent toutes les lettres que vous m'écrivez. »

Le ton est devenu plus intime ; les sentiments apparaissent plus chaleureux : à distance, Gibran s'épanche facilement. Comme avec « Posy », comme avec May, sa future correspondante du Caire, il laisse son cœur guider sa plume. Cela donne des lettres passionnées où, quelquefois, le lyrisme l'emporte sur la sincérité...

L'absence de Mary et de Micheline est heureusement compensée par l'amitié de son ancien camarade de classe, Youssef Hoayek, né la même année que lui, venu à Rome, puis à Paris, pour s'initier à l'art de la peinture et de la sculpture. Très simple de nature, aimant l'humour et les rencontres, Youssef n'a pas le tempérament tourmenté et rêveur de Gibran. Alors que le premier fréquente assidûment les cafés et considère, par exemple, que « s'attabler au Dôme est un art en soi », le second évite les endroits bruyants, n'aime pas danser et préfère, comme Balzac qu'il apprécie, marcher le long des quais de la Seine et flâner la nuit dans les rues du vieux Paris. Mais les deux compagnons s'entendent bien et vont passer en France deux années inoubliables que Hoayek racontera dans un livre de souvenirs. Bien plus tard, se remémorant cette époque, Gibran dira à Youssef : « Tous les soirs, mon esprit revient à Paris et erre entre ses maisons. Et tous les matins, je me réveille en pensant à ces jours que nous avons passés au milieu des temples de l'art et du monde des rêves... »

Gibran progresse : « Il est des jours où je quitte mon travail avec la sensation d'un enfant qu'on met au lit trop tôt », écrit-il à Mary. Mais il est impatient : au bout de quelques mois à l'Académie Julian, il décide d'abandonner cette école. « Il était gêné par le désordre qui y régnait, se souviendra Youssef. Il trouvait que les conseils de Jean-Paul Laurens, son professeur, ne lui étaient d'aucune utilité. » Faut-il s'en étonner ? Jean-Paul Laurens (1838-1921), qui a décoré le Panthéon, le Capitole de Toulouse (salle des Illustres) et l'Hôtel de Ville de Paris (salon Lobau), est considéré comme l'un des derniers représentants de la peinture d'histoire. De toute évidence, son style ne pouvait séduire l'âme romantique de Gibran. Où aller ? Au début du mois de février 1909, le jeune artiste finit par se trouver un nouveau maître : Pierre Marcel-Béronneau, un peintre mystique, disciple de Gustave Moreau, qui dirige une classe d'une douzaine d'élèves qu'il fait travailler sur des nus et des modèles drapés. « C'est un grand artiste et un merveilleux peintre ainsi qu'un mystique, dira Gibran à son propos. Le ministère de la Culture a acheté nombre de ses peintures et il est connu dans le monde artistique comme "le peintre de Salomé"... L'autre jour, j'ai pris deux ou trois petites choses pour les lui montrer. Il les a regardées longuement et, après quelques mots d'encouragement, il m'a tenu une longue conversation personnelle : "Laissez le temps faire son œuvre, n'essayez pas de donner une expression à vos pensées et à vos idées maintenant. Attendez d'avoir parcouru tout le dictionnaire de la peinture"... » Ces paroles tombent dans l'oreille d'un sourd : Gibran est avide de connaissance et de création ; désireux de brûler les étapes, il ne sait pas attendre. Jugeant qu'il a pris de son professeur tout ce qu'il pouvait lui donner, il finit par renoncer à ses cours.

Avec Youssef, il fréquente alors l'Académie Colarossi, tenue par une Italienne prénommée Caterina. Située au 10, rue de la Grande-Chaumière, cette Académie, qui accueillit Camille Claudel et nombre d'artistes étrangers venus se perfectionner à Paris (comme les Canadiens Jean-Paul Lemieux, Suzor-Côté, Francesco Iacurto, et l'Allemand Herbert Fiedler), était surtout spécialisée dans les dessins de nus d'après modèles. Mais Gibran préfère travailler seul et en toute liberté dans son atelier, et visiter musées et expositions pour, dit-il, « suivre l'actualité artistique ». Il donne des cours de dessin à cinq étudiants, deux fois par semaine, histoire de gagner un peu d'argent, et se lance dans un projet ambitieux : faire une série de portraits consacrés aux grandes personnalités de son époque. Il inaugure la série, qui sera baptisée « Le Temple de l'Art », par le portrait du sculpteur américain Paul Bartlett, l'auteur de la statue de La Fayette exposée à l'entrée du Louvre, puis enchaîne avec Edmond Rostand, Claude Debussy, Auguste Rodin et Henri Rochefort, le fameux pamphlétaire : la liste est impressionnante ! Rencontre-t-il vraiment ces personnalités « pendant trente minutes seulement », comme il l'affirme à Mary, ou se contente-t-il de les dessiner de mémoire ou d'après leur photographie ? Difficile à dire.

Chaque dimanche, pour assouvir leur soif de connaissance, Gibran et Youssef se rendent au Louvre, comme en pèlerinage. Ils passent des heures à parcourir les vastes salles du musée, puis vont admirer le jardin du Luxembourg avec sa pelouse, ses arbres, ses fleurs et ses ruches. Là, ils évoquent les grands artistes : Dante, Balzac, Voltaire, Rousseau…, et échangent leurs opinions. Au Panthéon, à quelques pas du jardin, Gibran s'ébaubit devant la fresque représentant sainte Geneviève, œuvre de Puvis de Chavannes qui aura sur sa peinture une influence certaine [1] : « Y a-t-il quiétude plus grande et plus profonde que celle qui se lit sur son visage ? » demande-t-il à son ami. Parfois, ils vont prendre un café à

---

1. Une récente exposition au Palazzo Grassi à Venise (février-juin 2002) a présenté Puvis de Chavannes (1824-1898) comme l'un des « ouvreurs » de la modernité et comme l'inspirateur de Picasso, Gauguin et Matisse…

La Closerie des Lilas, déjeuner au restaurant de Madame Baudet, situé à l'angle de la rue Léopold-Robert et du boulevard Raspail, ou admirer, au théâtre du Châtelet, la danseuse Isadora Duncan. Un jour, un ami, le docteur Gaspard, les invite à visiter l'Institut Pasteur. Gibran est impressionné par l'endroit : « N'as-tu pas remarqué que l'homme de science surpasse l'homme de lettres et l'artiste ? » demande-t-il à Youssef.

Autour des deux jeunes « parisiens », papillonnent plusieurs jeunes filles, des étrangères surtout : Olga, l'étudiante russe, qui suit des cours de littérature française à la Sorbonne et qui, enfant, « s'asseyait sur les genoux de Tolstoï et jouait avec sa barbe » ; Suzanne et Lia, deux Juives de Roumanie ; Rosina, l'Italienne « à la chevelure d'or, compagne de l'âme de Botticelli » ; et les Françaises Martine, que la question de l'existence de Dieu intrigue, et Marguerite, la danseuse du Moulin-Rouge... Youssef se plaît en compagnie de ces « muses », essaie de les séduire, tandis que Gibran, qui pense sans doute à Mary, garde une certaine distance vis-à-vis de ces femmes qui le qualifient de « prince », mais ne comprennent pas toujours ses propos sibyllins. Profitant de la visite à Paris de Charlotte Teller, l'amie de Mary, il lui montre ses nouveaux travaux et passe en sa compagnie une semaine de vacances à Versailles. Elle lui inspire un nouveau portrait, mais il finit par renoncer à son projet, découragé par la mobilité de ce modèle qui « a tellement de rêves et court toujours après son ombre » !

Ces activités, ces distractions, ces fréquentations n'apaisent pas Gibran. La mort de son père qu'il apprend par une lettre envoyée de Bécharré le plonge dans la tristesse. Le 23 juin 1909, il écrit à Mary :

> « J'ai perdu mon père, ma bien-aimée Mary. Il est mort dans la vieille maison où il est né 65 ans plus tôt... Ses amis ont écrit pour dire qu'il m'a béni avant de rendre son dernier souffle. Je ne peux que voir les tristes ombres des jours passés lorsque mon père, ma mère et Boutros ainsi que ma sœur Sultana vivaient et souriaient

devant la face du soleil. Où sont-ils maintenant ? Sont-ils ensemble ? Peuvent-ils se rappeler le passé comme nous ? Sont-ils tout près de ce monde ou fort loin ? Je sais, chère Mary, qu'ils continuent à vivre, et leur nouvelle vie est bien plus réelle, plus belle que la nôtre. Ils sont plus proches de Dieu que nous le sommes. »

Gibran doute en permanence, demande à Youssef : « Qu'avons-nous réalisé jusqu'à présent ? » ou bien : « Quand et avec qui l'Orient commencera-t-il à réfléchir ? » et, quand il s'agit du manque de ressources pour voyager et découvrir les merveilles artistiques de l'Italie, déclare avec fatalisme : « Maudit soit l'argent qui se dresse entre l'homme et sa foi ! » Le jeune homme est ambitieux, idéaliste ; il s'imagine qu'il peut réformer le monde, s'efforce de convertir les autres à ses idées et théories sur l'art, Dieu, ou la nature... « Je me rappelle bien l'état d'esprit de Gibran, dira Youssef. Il traînait les pieds sur le sol froid et son âme planait dans l'infini. » Tourmenté, « embourbé dans la vie », il fume beaucoup, consomme plusieurs tasses de café par jour, lit et relit Gide, Rilke, Tolstoï et Nietzsche que Youssef qualifie de « philosophe grincheux », compose en arabe des textes que son entourage juge « tristes et sermonneurs ». Il découvre Ernest Renan et ne reste pas insensible aux idées hardies de ce penseur qui connut le Liban où repose Henriette, sa sœur, dédicataire de la *Vie de Jésus* :

« Je lis à présent Renan. Je l'aime parce qu'il a aimé et compris Jésus. Il l'a vu dans la clarté du jour, non au crépuscule... Mon plus grand espoir est de pouvoir un jour peindre la vie de Jésus comme personne ne l'a fait auparavant. Ma vie ne peut trouver de meilleur apaisement que dans la personnalité de Jésus... »

Le 13 février 1909, il publie en première page du journal *Al-Mouhajer* un long poème en prose, dédié à « MEH » et intitulé : « Le Jour de ma naissance », où il évoque sa mélancolie et parle de la mort et de son amour pour la vie, la liberté, le bonheur et l'humanité :

« La paix soit avec toi, ô Vie [...]. La paix soit avec toi, ô Temps, qui nous conduis vers la perfection. La paix soit avec toi, ô Esprit, qui tiens le gouvernail de la vie et te caches derrière le voile du soleil... »

Il ébauche le projet d'un roman qui vise à démontrer que l'homme, où qu'il se trouve, peut entrer en contact avec Dieu sans avoir recours aux temples et aux prêtres, et que la source de toutes les religions est une. Son personnage central, baptisé Khalil Ibn Salem, voit le visage de Dieu à travers la nature et écoute les oiseaux et les cascades chanter Sa gloire. Il croit en Jésus, bénit Bouddha et Moïse, et affirme que tous ceux qui montrent aux hommes le chemin menant à la perfection sont l'émanation du Grand Esprit de Dieu [1]. Mais il finit par abandonner ce projet pour travailler sur son manuscrit, *Pour que l'univers soit bon*, l'embryon du *Prophète*, et poursuit l'écriture d'un roman intitulé *Les Ailes brisées*, l'histoire d'un amour prisonnier des traditions et du pouvoir ecclésiastique. Aussi, une de ses nouvelles, « Martha la Banaise », tirée du recueil *Les Nymphes des Vallées*, paraît-elle, traduite en français par Michel Bitar, professeur d'arabe à la Sorbonne, dans une anthologie publiée dans le numéro 10 de la revue *Les Mille nouvelles nouvelles* où on le présente comme un « jeune écrivain arabe qui écrit des nouvelles pour plaider des réformes comme celle de la femme orientale... et briser le joug religieux au Liban ». Gibran éprouve une grande fierté en voyant son nom côtoyer celui de Tchekhov.

A cette époque, à la suite de la révolution des Jeunes-Turcs contre le régime ottoman du sultan Abdul-Hamid II, de nombreux dissidents syro-libanais se réfugient à Paris. Des sociétés secrètes y voient le jour, qui défendent la cause du nationalisme arabe et réclament l'autodétermination dans les pays occupés par les Ottomans. Parmi les militants les plus connus, Chucri Ghanem, poète et dramaturge, auteur d'une pièce intitulée *Antar*, jouée avec succès à l'Odéon. Gibran fréquente ces

---

1. J.-P. Dahdah, *op. cit.*, p. 208.

milieux et s'imprègne de leurs idées. Il suit de près le premier Congrès arabe organisé à Paris en 1910 par les indépendantistes syriens et libanais, qui réclame l'octroi aux Arabes vivant sous le joug ottoman de leurs droits politiques, la reconnaissance de l'arabe comme langue officielle, la participation effective des Arabes dans l'administration centrale de l'Empire ottoman, et l'introduction de réformes radicales au sein de cette administration. Trois ans plus tard, Gibran refusera d'assister à un Congrès arabe destiné à étudier un plan d'autonomie pour les pays occupés par les Ottomans, sous prétexte que les Arabes doivent se révolter et se libérer par eux-mêmes, et qu'il est imprudent de vouloir faire appel aux puissances européennes et d'obtenir l'autonomie par la voie diplomatique. Cette vision des choses n'est pas partagée par tous ses compatriotes : ainsi, l'écrivain Amin Rihani fera le voyage New York-Paris pour représenter les émigrés libano-syriens des Etats-Unis au sein du Congrès.

Désireux de faire connaître sa peinture, Gibran réussit à se faire inviter au Salon de Printemps, l'une des plus importantes expositions annuelles à Paris. Le jeune peintre sait que l'heure de rentrer à Boston approche, et souhaite absolument participer à un Salon avant de quitter la Ville lumière. Des trois œuvres qu'il propose, une seule est acceptée par le jury de la Société nationale des Beaux-Arts : *L'Automne,* qui représente Rosina à moitié nue, enlaçant sa chevelure dorée avec sa main droite. « A travers sa stature, ses couleurs et l'arrière-plan, elle parle de la mélancolie qui s'interpose entre les joies de l'été et la tristesse de l'hiver », explique Gibran. Malheureusement, le jour de l'accrochage, elle n'est pas placée dans la grande salle, mais dans un couloir étroit du Grand Palais. Gibran fulmine : il sait que Rodin, le grand Rodin, doit visiter l'exposition. Si le tableau est dans un coin, jamais il ne pourra l'admirer et repérer son auteur ! Youssef vole au secours de son ami et soudoie le gardien qui accepte alors de déplacer le tableau et de le placer dans la grande salle !

Le lendemain, Auguste Rodin se présente à l'exposition, entouré d'un essaim de femmes parfumées, portant d'amples robes longues et coiffées de grands chapeaux fleuris. Gibran voit venir vers lui ce septuagénaire à la barbe blanche. Il frémit puis, prenant son courage à deux mains, s'approche de lui, le salue, et, d'une voix altérée par l'émotion, lui dit quelques mots. De son propre aveu, Gibran souhaite lui montrer son tableau pour « recueillir de sa part une appréciation qui aurait du retentissement en Amérique ». Mais Rodin est pressé : il s'arrête un instant devant la toile du jeune peintre, hoche la tête et continue sa visite.

En juin 1910, Amin Rihani est de passage à Paris. Gibran apprécie les idées hardies de cet auteur né en 1876 à Freikeh, un petit village du Mont-Liban, qui fustige les agissements de l'occupant ottoman et le comportement du clergé. Amin, Youssef et Gibran louent une calèche et se promènent longuement dans Paris : « Le Père, le Fils et le Saint-Esprit », commente Rihani avec le sourire. Le soir, Amin et Youssef se rendent au Moulin-Rouge pour y admirer « les jeunes femmes presque nues qui tourbillonnent », laissant Gibran dans son nouveau studio, rue du Cherche-Midi. Le lendemain, optant pour un programme plus studieux, ils visitent, trois heures durant, le Musée du Louvre.

Quelques jours plus tard, Rihani et Gibran se rendent à Londres. Gibran ne manque pas d'aller admirer les tableaux de Turner, à la Tate Gallery, et ceux de Watts et de Rossetti ; il accompagne son ami chez Thomas Power O'Connor, le nationaliste irlandais, qui leur fait visiter le Parlement britannique. A Youssef, ils envoient une lettre étrange où chacun d'eux, à tour de rôle, écrit une ligne : « Nous sommes dans cette cité drapée de nuées noires, lui écrivent-ils, et nous ressemblons à des oiseaux du Sud égarés dans une tempête du Nord... »

A l'issue de ce voyage, Rihani part pour New York. Emilie Michel, elle, fait le chemin inverse : la chance ne lui a pas souri à Broadway. Gibran la réconforte. « En vérité, elle a beaucoup souffert, commentera-t-il, mais elle est si courageuse qu'elle a pu garder son sang-froid. Elle pense toujours au théâtre et à sa gloire, mais à présent elle connaît fort bien la face cachée de la scène. J'espère qu'elle pourra surmonter tout cela. » Petit à petit, leurs liens se distendent. Leur passion n'aura finalement duré que quelques mois, suffisamment pour nourrir l'inspiration de Gibran qui consacra à Emilie Michel plusieurs tableaux et dira à son propos : « Elle sera toujours unique, elle sera toujours belle. » Le 1er octobre 1914, la Française finira par épouser un avocat, Lamar Hardy, conseiller auprès du maire de New York, John Mitchell [1]. Mais elle ne vivra pas longtemps : en septembre 1931, cinq mois après le décès de Gibran, elle succombera à une longue maladie invalidante, emportant avec elle ses illusions perdues et ses rêves brisés. Seule consolation : une fille, née le 16 août 1915, et prénommée... « Micheline [2] » !

A son tour, Youssef Hoayek entreprend un voyage qui le mène en Allemagne, en Autriche, en Turquie, en Grèce et en Italie. Durant son périple, il écrit régulièrement à Gibran qui prépare les six tableaux qu'il se propose d'exposer en octobre au Salon de l'Union Internationale des Beaux-Arts auquel il a été officiellement invité. Mais lassé de sa situation instable, Gibran finit par renoncer à ce projet : le 22 octobre 1910, il repart pour l'Amérique. D'après Youssef Hoayek, « son séjour à Paris ne fut pas pour lui d'une grande importance sur le plan artistique ». Cet avis est discutable : « Son travail révèle une immense évolution. Il a touché la réalité et appris à peindre. Le sens des couleurs est devenu sien, et je ressens que toute sa nature a mûri et s'est renforcée cette année », écrit Charlotte Teller, en visite à Paris, à Mary. Son enrichissement intellectuel, le souffle humaniste qui habite désormais son œuvre, sa maîtrise de la technique picturale et spécialement de la peinture à l'huile, du lavis et de l'aquarelle, son perfectionnement dans

---

1. Né le 29 mai 1879, décédé en 1950, Lamar Hardy est le fils de William Harris Hardy, juriste et fondateur des villes de Gulfport, Laurel et Hattiesburg dans le Mississippi. Il fut, de 1935 à 1939, le *District attorney* du district Sud de la ville de New York.

2. Nous avons pu retrouver la trace de Micheline Hardy, la fille d'Emilie Michel : mariée le 7 septembre 1945 à William Brauson Claggett, elle a donné naissance à deux filles : Susan Sommer Claggett (née en 1947) et Barbara Hardy Claggett (née en 1950).

l'art du portrait, son engagement politique... suffisent à considérer son séjour parisien comme déterminant. Quoi qu'il en
soit, Gibran garda un souvenir ému de cette époque, ainsi
qu'en témoigne cette lettre du 19 décembre 1911 envoyée de
Boston à Youssef :

« Youssef, mon frère,

Heureux celui qui possède un coin de terre à Paris.
Heureux celui qui peut se promener le long des quais
de la Seine et fouiller dans les étals des bouquinistes, à
la recherche de vieux livres et dessins. Ici, dans cette
ville [Boston], j'ai beaucoup d'amis et de relations [...].
Pourtant, je ne suis pas heureux [...]. Souviens-toi de
moi au Louvre, devant la déesse de la Victoire. Mes
hommages à Mona Lisa. »

Quelques mois plus tard, le 23 avril 1912, il écrit à son ami
Jamil Maalouf qui se trouve en France :

« Paris ! Paris, théâtre des arts et de la pensée, source
d'imagination et de rêves ! A Paris, je suis né une
deuxième fois, et c'est là-bas que je voudrais passer le
restant de ma vie... Je reviendrai à Paris pour nourrir
mon cœur affamé et désaltérer mon âme assoiffée. Je
reviendrai manger de son pain divin et boire de son vin
magique... »

Gibran ne reviendra plus jamais à Paris, ne reverra plus son
Liban natal, n'aura jamais l'occasion de visiter l'Italie rêvée...
Privé des lieux qu'il aime, un artiste peut-il être heureux ?

7

« BELOVED MARY »

Dès son arrivée à Boston, le 1er novembre 1910, Gibran se précipite chez sa sœur Mariana qu'il n'a pas vue depuis deux ans. Émouvantes retrouvailles entre les seuls survivants d'une famille décimée par le destin. Puis, il se rend chez Mary qui l'accueille à bras ouverts et lui annonce qu'elle vient de perdre son père. Soucieuse de garder l'artiste sous sa coupe, elle lui annonce qu'elle est prête à continuer à lui payer les soixante-quinze dollars qu'elle lui versait lors de son séjour à Paris, et lui conseille de louer une maison plus vaste afin d'y exercer son art en toute liberté. Gibran saute sur l'occasion et s'installe au 18, West Cedar Street, dans le quartier de Beacon Hill. La complicité entre l'artiste et sa protectrice se renforce : il lui montre les dessins réalisés à Paris, elle l'aide à améliorer sa diction en anglais. Ils sortent fréquemment ensemble, visitent le musée des Beaux-Arts, assistent à des concerts et des pièces de théâtre. Gibran fait part à sa protectrice de sa fascination pour Jésus, « la plus sublime des créatures humaines ». Visiblement marqué par les idées de Renan, il lui confie :

« J'ai lu tout ce que j'ai pu trouver sur Jésus... Toute ma vie, mon admiration pour lui n'a pas cessé de grandir. Il est le plus grand de tous les artistes autant que le plus grand des poètes... L'appeler Dieu le diminue. Car en tant que Dieu, ses paroles merveilleuses seraient petites, mais en tant qu'homme, c'est de la poésie la plus pure... »

Le samedi 10 décembre, veille du trente-septième anniversaire de Mary, Gibran dîne chez elle. Tout à coup, à minuit, il lui prend la main, la porte à ses lèvres, et lui déclare d'une voix grave :

– Je vous aime... Je désire vous épouser.

Mary sursaute. Mais elle garde son sang-froid. Avec le sourire, elle lui répond :

– Je sais que vous m'aimez. Moi aussi, je vous aime. Mais dix ans nous séparent... Cette différence rend le mariage impossible. Mon âge est la barrière qui s'interpose entre nous et il pourrait tout gâcher [1]...

Gibran est d'autant plus meurtri par ce refus inattendu que le prétexte invoqué pour le justifier n'est pas convaincant. Plus tard, il écrira à Mary : « A mon retour de Paris, je vous ai donné mon cœur tout entier, de la façon la plus simple et la plus sincère. J'étais pareil à un enfant qui déposait tout ce qu'il était et tout ce qu'il avait entre vos mains. Et curieusement, vous m'avez répondu avec froideur » ; et, dans une autre lettre : « Dès que je vous ai parlé de mariage, vous vous êtes mise à me blesser... »

Mais, prise de remords, Mary change bientôt d'avis. Elle dit « oui » à Gibran qui reprend espoir. Quelques jours plus tard, elle revient encore sur sa décision. Comment expliquer cette attitude ? Faut-il la croire quand elle prétend qu'elle ne sera jamais à la hauteur de l'amour que mérite Gibran ? Ses rapports ambigus avec Charlotte et ses liaisons avec d'autres femmes, avouées dans une lettre du 19 décembre 1914, expliquent-ils

---

1. D'après Naïmeh, Mary aurait répondu à Gibran : « Ton corps est-il pur de toute maladie ? », ce qui aurait blessé le jeune homme (*Gibran Khalil Gibran*, p. 123).

son comportement ? Ou est-ce l'idée d'épouser un « métèque » qui la dissuade de franchir le pas, sachant que lorsque le frère de Mary débarqua un jour à l'improviste et qu'il la vit en compagnie de Gibran, un étranger, elle ne put dissimuler son embarras ? Quoi qu'il en soit, Mary se sait coupable. Dans une lettre de juillet 1915, elle admet : « Kahlil, je t'ai fait tout le mal que je pouvais te faire. Tu m'as prise jusqu'au centre le plus tendre de ton cœur, et c'est là que je t'ai frappé et blessé [...]. Mon âme t'a traité comme un être inférieur [...]. J'ai été dans un long et continuel péché à ton égard, Kahlil ? Ce que je souhaite, c'est te confesser avec mon âme le mal extrême que je t'ai causé pendant ces cinq années et dont tu as souffert. » Mais à quoi bon cet aveu tardif ? Fatigué des tergiversations de sa protectrice (« Quelque chose en moi se mourait de jour en jour, dira-t-il à Mary. J'étais constamment torturé. Si vous aviez été un pas plus loin, je vous aurais détestée »), Gibran va s'efforcer de noyer sa déception dans le travail : il prend Mariana et deux de ses cousines comme modèles, exécute le portrait de plusieurs personnalités bostoniennes, et ébauche un nouvel autoportrait à l'huile où il apparaît, le visage tourné de trois quarts vers la droite, avec en arrière-plan une femme (Mary ?) tenant une boule de cristal. Il ne cesse pas d'écrire et envoie à Najib Diab, directeur du journal new-yorkais d'expression arabe *Mir'at al-Gharb* (Le Miroir de l'Occident), un article virulent, intitulé « Vous et Nous », dédicacé comme d'habitude à « MEH » :

> « Vous avez érigé les pyramides avec les crânes des esclaves, et à présent les pyramides sont assises sur le sable, parlant aux générations de notre immortalité et de votre anéantissement. Nous avons détruit la Bastille avec les bras des libérateurs, et la Bastille est devenue un exemple que les nations suivent, en nous bénissant et en vous maudissant... Vous avez crucifié le Nazaréen et vous vous êtes moqués de lui. Mais une heure plus tard il est descendu de sa croix et a marché comme un géant, vainquant les générations par l'esprit et la vérité, emplissant la terre de sa gloire et de sa beauté. Vous

avez empoisonné Socrate, lapidé Paul, tué Galilée, assassiné Ali Ibn Abi Taleb [1] et étranglé Midhat Pacha [2], alors qu'ils sont toujours vivants, tels des héros victorieux devant la face de l'éternité. »

A l'occasion du Vendredi saint, il publie un article intitulé « Le Crucifié » (qui paraîtra plus tard dans *Les Tempêtes*) où se manifestent l'attachement de Gibran à la figure de Jésus et sa volonté d'exhausser son âme en méditant sur la destinée du Nazaréen :

« Tous les ans en ce même jour, l'humanité se réveille en sursaut de son profond sommeil. Elle se dresse devant les fantômes des générations pour regarder, les yeux noyés de larmes, vers le mont Calvaire, se remémorant le Nazaréen qui y fut crucifié... Depuis dix-neuf siècles, les humains adorent la faiblesse en la personne de Jésus alors que Jésus était puissant, mais ils ne comprennent pas le sens de sa véritable puissance. Jésus n'a pas vécu dans la pauvreté et dans la peur, et il n'est pas mort en souffrant et en se plaignant. Mais il a vécu en insurgé, il a été crucifié en rebelle et il est mort en géant...
Jésus n'est pas venu du ciel pour faire de la souffrance un symbole de la vie, mais plutôt pour faire de la vie un symbole de vérité et de liberté... Il est venu nous insuffler un esprit aussi fort que nouveau, capable de saper les fondations de tous les trônes plantés sur les ossements des hommes ; il est venu détruire les palais érigés sur les tombeaux des faibles et raser les idoles dressées sur les corps des miséreux...
O Sublime crucifié [...], pardonne à ces faibles qui te pleurent en ce jour car ils ne savent pas comment se lamenter sur leur propre sort. Pardonne-leur car ils ne savent pas que tu as triomphé de la mort par la mort et que tu as accordé la vie à ceux qui gisent dans les tombes ! »

---

1. Le père du chiisme.
2. Le chef du parti Jeune-Turquie.

Encore marqué par les idées politiques des indépendantistes réfugiés en France, Gibran s'empresse de convaincre les milieux libanais et syriens à Boston de fonder une association pour défendre la cause des pays arabes asservis par l'Empire ottoman. L'association est créée en 1911 et prend le nom de « *Al-Halaqa al Dahabyia* » (« La Chaîne d'or »). Les fondateurs décident de garder leurs actions secrètes et d'appeler les membres de cette confrérie inspirée des loges maçonniques : « *Al-Hurras* » (« les Gardiens »). Le 25 février 1911, à l'occasion d'une grande réunion organisée par l'association, Gibran prend la parole et prononce un vibrant discours où il invite les Syriens à se méfier des promesses du sultan et à compter désormais sur eux-mêmes pour s'affranchir du joug turc : « Qui ne marche pas la tête haute, déclare-t-il, restera l'esclave de lui-même, et qui est l'esclave de lui-même ne peut pas marcher libre. La liberté est un rayon qui émane de l'intérieur de l'homme et qui ne lui est pas versé de l'extérieur. » Ce discours, publié en mars dans le journal *Mir'at al-Gharb*, soulève contre lui les journaux loyalistes en Syrie et en Egypte. Deux ans plus tard, l'article qu'il publie dans *Al Sa'ih* sous le titre : « Lettre ouverte d'un poète chrétien aux musulmans » et qui appelle tous les musulmans à se soulever contre l'occupant, car l'Etat ottoman est le responsable de la décadence de la civilisation islamique, lui attirera également les foudres des Ottomans et de leurs alliés :

> « Je suis libanais et fier de l'être. Je ne suis pas ottoman et suis fier de ne pas l'être...
> Je suis chrétien et fier de l'être. Mais j'aime le Prophète arabe et j'en appelle à la grandeur de son nom ; je chéris la gloire de l'Islam et crains qu'elle ne s'étiole...
> Certains me traitent de renégat, car je hais l'Etat ottoman et souhaite sa disparition. Je leur réponds que je hais l'Etat ottoman, oui, car j'aime l'Islam et souhaite qu'il retrouve son éclat... »

Mû par une intuition « prophétique », Gibran considère que si les Syriens ne se révoltent pas, ils seront acculés à s'en remettre aux puissances impérialistes qui convoitent la région :

« Le Chrétien que je suis et qui a logé Jésus dans une moitié de son cœur et Mahomet dans l'autre moitié, vous promet que si l'Islam ne réussit pas à vaincre l'Empire ottoman, les nations européennes domineront l'Islam. Si nul d'entre vous ne se soulève contre son ennemi intérieur, avant la fin de cette génération, le Levant sera entre les mains de ceux dont le visage est pâle et les yeux bleus... »

Sur le plan artistique, l'enfant de Bécharré n'est pas satisfait. Boston est trop petit, trop étouffant, pour qui a vécu à Paris et fréquenté ses musées : « C'est une cité de silences mortels où rien ne se passe... » Singulièrement, son attitude ressemble à celle du héros de *The Point of view* de Henry James, Louis Leverett, qui, ayant quitté la Ville lumière pour Boston, écrit à Harvard Tremont : « Je suis un étranger ici... C'est un pays très dur, très froid, très vide. Je pense à ton Paris, riche et chaud [1]. » Lui qui considère l'expérience française comme « la première marche de l'échelle qui lie la terre au ciel », sent qu'il a besoin de changer d'espace pour continuer à progresser. Il écrit à Amin Rihani :

« Je suis pareil à un navire qui, la voile déchirée par les vents, et la proue brisée par les lames, s'en va de-ci de-là, au milieu de la furie des flots et des tempêtes... »

Soucieux de trouver un meilleur environnement à sa production artistique, désireux de prendre du recul par rapport à son indécise protectrice, Gibran choisit alors de partir pour New York. Sa sœur Mariana a beau le supplier de changer d'avis, rien n'y fait : sa décision est prise. Mary est triste de le voir s'éloigner d'elle. Dans son cœur, les sentiments se bousculent : elle est désormais décidée à ne pas l'épouser, mais, dans le même temps, déterminée à le soutenir jusqu'au bout dans sa carrière artistique, convaincue que « son avenir n'est plus lointain à présent » et qu'il est « l'ultime doigt de

---

1. Cité par Jean Meral, *Paris dans la littérature américaine*, éd. du CNRS, 1983, p. 91.

Dieu ». Sans tarder, elle demande à Charlotte Teller, qui est de passage à Boston et qui a revu Gibran, d'aider celui-ci à trouver un appartement près d'elle à Manhattan, et l'exhorte à continuer à poser pour l'artiste.

Gibran, qui espérait naïvement que Mary quitterait son école pour le suivre, essuie un second refus. Blessé une deuxième fois dans son amour-propre, il plie bagage sans regrets, emportant avec lui le manuscrit des *Ailes brisées* et un exemplaire de *Ainsi parlait Zarathoustra* de Nietzsche.

8

NEW YORK

Aux yeux de Paul Claudel qui débarque à New York en 1893, « le bas de la ville qu'on voit d'abord en arrivant présente un entassement extravagant de tours, de coupoles, d'énormes bâtisses de 10, 15 et 25 étages, banques, journaux, office buildings. Pour l'étranger qui tombe là, ignorant tout et les raisons de tout, les premiers jours sont ahurissants [1] ». D'emblée, Gibran l'a compris : « New York n'est pas l'endroit où l'on peut trouver du repos. » Il commence par visiter le Metropolitan Museum of Art et en sort émerveillé. Il rencontre la communauté libanaise de la ville et fait la connaissance, grâce aux lettres de recommandation de Mary, de plusieurs éminentes personnalités new-yorkaises. Il retrouve Amin Rihani, son ami : « Que je serai heureux lorsque le destin nous réunira dans une seule ville ! » lui avait-il écrit avant son voyage. Il lui fait son portrait et emménage provisoirement dans le même immeuble que lui.

---

1. Cité par François Angelier, *Paul Claudel*, Pygmalion/Gérard Watelet, 2000, p. 79.

Le 1er juin, Mary débarque à New York. Elle rejoint Gibran et le trouve en train de peindre une nouvelle toile, intitulée *Isis*, en prenant Charlotte Teller pour modèle. Quelle place occupe cette femme dans la vie de l'artiste ? Mary elle-même ne le sait plus. Il est vrai qu'elle a tout fait pour pousser Charlotte – qu'elle entretient et qu'elle aime – dans les bras de Gibran, mais la véritable nature de cette relation lui échappe. « L'amour charnel qu'elle offre est en lui-même source de révélation. Je ne peux donner cela – elle le peut », se dit-elle. En réalité, Charlotte fascine Gibran (puisqu'il la peint), mais « la chimie ne fonctionne pas ». Elle finira par se donner à Amin Rihani, tombé sous le charme de cette femme mystérieuse qui épousera, quelques mois plus tard, un certain Gilbert Hirsch [1].

Pendant le court séjour de sa protectrice, l'artiste visite avec elle les musées de la ville, la cathédrale de Saint John the Divine et l'Université Columbia. Le soir, quand ils ne lisent pas ensemble *Ainsi parlait Zarathoustra*, Gibran s'amuse à dessiner des croquis représentant Keats, Shelley, Rodin, Dante...

Gibran et Mary repartent ensemble à Boston : il souhaite revoir sa sœur ; elle se prépare à passer ses vacances dans l'ouest du pays où elle pratique son sport favori : l'escalade. C'est alors qu'elle propose à Gibran de remplacer les petites sommes qu'elle lui alloue chaque mois par un montant forfaitaire de cinq mille dollars, histoire de lui assurer une plus grande indépendance. Il accepte l'offre, mais insiste pour lui léguer tout ce qu'il possède, en signe de reconnaissance. Et, joignant l'acte à la parole, il prend une feuille blanche et rédige – à vingt-huit ans ! – son testament, un testament étonnant où tous ses amis, ou presque, sont cités : il lègue ses tableaux et dessins à Mary ou, si elle n'est plus de ce monde, à Fred Holland Day ; ses manuscrits littéraires à sa sœur tout

---

1. Charlotte Teller Hirsch partira pour l'Europe en 1922 et s'installera en France. Elle continuera à écrire sous le pseudonyme (masculin) de John Brangwyn et publiera *Everybody's Paris* (1935) et *Reasons for France* (1939). Elle décédera à Paris en 1954.

Gibran adolescent tenant un livre.
(Photographie de Fred Holland Day, 1897)

La mère de Gibran, Kamlé, avec
ses deux filles Mariana et Sultana.
(Photographie de Fred Holland Day,
vers 1901)

Vue de Bécharré en 1912.
(Collection Ghazi Geagea)

Fred Holland Day :
le mentor.

Portrait de May Ziadé
par Gibran.
(Fusain sur papier,
non daté,
Comité national Gibran)

Youssef Hoayek,
l'ami de Gibran à la
Sagesse et à Paris.

Portrait du prêtre maronite Youssef
Haddad, professeur de Gibran au Collège
de la Sagesse. (Portrait par César Gémayel)

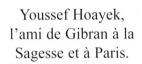

Josephine Peabody,
«Posy», à 18 ans.

Emilie Michel par Gibran.
(Dessin au crayon, non daté,
Telfair Museum of Art, Savannah)

Gibran et Mikhaïl Naimé
à Cahoonzie.

Mary Haskell en 1926.
(Portrait par le peintre hollandais
Willem Adriaan van Konijnenburg,
Telfair Museum of Art, Savannah)

Charlotte Teller.

Khalil Gibran (en bas, deuxième à gauche) dans l'atelier de Marcel-
Béronneau à Paris en 1909.

Lettre de Gibran à Helena Ghostine en 1926.

Helena Ghostine (à droite), l'amie libanaise de Gibran.

Gibran dans sa chambre devant la tapisserie représentant le Christ.

L'Automne, aquarelle de Gibran retenue par la Société Nationale des Beaux-Arts à Paris, 1909.
(Comité national Gibran)

Aquarelle de Gibran.
(Illustration pour Le Prophète, 1923, Comité national Gibran)

Le visage d'Al-Mustafa, frontispice pour Le Prophète.
(Crayon sur papier, 1923, Comité national Gibran)

L'une des dernières photos de Gibran.

en lui conseillant de consulter Amin Rihani et les deux journalistes Najib Diab et Amin Gorayeb avant toute publication, les lettres en arabe et en français qu'il a reçues à Youssef Hoayek, les livres qu'il possède au Liban à la bibliothèque de Bécharré et ceux qui se trouvent à Boston à l'association « La Chaîne d'or ». Peut-on être plus équitable ?

Véritable bête de travail (« Je voudrais être plusieurs Kahlil ! » soupire-t-il), Gibran profite de l'été pour achever plusieurs projets : il termine *Les Ailes brisées*, retouche le tableau *Isis*, entame quatre nouvelles toiles, illustre l'ouvrage autobiographique d'Amin Rihani, intitulé *Le Livre de Khalid*, et envoie à *Mir'at al-Gharb* deux articles, l'un intitulé : « L'Esclavage », où il fustige « l'esclavage bossu qui conduit un peuple selon les lois d'un autre peuple, et l'esclavage lépreux qui est celui qui, une fois que le roi est mort, intronise son fils », l'autre ayant pour titre : « Fils de ma Mère », où il s'insurge contre la passivité de ses compatriotes qui ne se révoltent pas contre l'occupant. Les catilinaires impétueuses de Gibran, ses formules imprécatoires, qui ne sont pas sans rappeler celles de saint Jean-Baptiste et des prophètes de l'Ancien Testament, peuvent surprendre : elles sont à la mesure de la léthargie politique, sociale et culturelle du monde arabe, dominé par l'Empire ottoman, puis par les grandes puissances...

A Boston où il se rend pour de brefs séjours, Gibran assiste à une conférence donnée par le poète et dramaturge irlandais William Yeats, futur prix Nobel de littérature, qui, à la fin de la soirée, lui donne rendez-vous. Le 1er octobre, les deux hommes se rencontrent. Fasciné par ce poète « corrompu par le patriotisme », Gibran lui fait son portrait. Ils se reverront en 1914 à un dîner chez Mme Ford, puis en 1920, au siège de la Société des arts et des sciences.

Le 18 octobre 1911, revenu à New York, il s'installe dans un bâtiment en brique rouge, le Tenth Street Studio, édifice exclusivement réservé aux artistes, situé au 51 West 10th Street en plein Greenwich Village. La même année paraît *Les Ailes brisées*, publié en arabe chez *Mir'at al-Gharb*. Ce livre, sans doute le plus romantique dans l'œuvre de Gibran, raconte l'histoire d'un amour impossible, celui du narrateur, un jeune homme idéaliste, pour Salma, une jeune fille de son pays, mariée contre son gré, sous la pression de l'évêque local, au neveu de ce dernier, personnage malhonnête qui convoite sa fortune. Après le mariage, le narrateur et Salma continuent à se voir en cachette. Enceinte, elle met au monde un enfant mort-né, avant de succomber à son tour. L'ouvrage, l'un des premiers romans de la littérature arabe, jusque-là dominée par la poésie, contient en germe le style et la pensée futurs de Gibran. D'un point de vue formel, le lecteur s'aperçoit rapidement que la trame romanesque s'estompe devant les pensées et les digressions méditatives, et que l'histoire n'est qu'un prétexte pour permettre à l'auteur de formuler certaines idées qui lui tiennent à cœur : le refus des traditions archaïques qui enchaînent la femme orientale, la critique de la féodalité cléricale, personnifiée par l'évêque, mais aussi la mélancolie, la mort, la beauté, la révolution, l'amour, la maternité, la nature... Abordant le thème de l'unicité de l'existence, récurrent dans son œuvre, il écrit : « La vie humaine ne commence pas dans la matrice ni ne finit par-devant le tombeau. Ce vaste espace rempli des rayons de la lune et des planètes ne manque pas d'esprits qui s'étreignent dans l'amour, ni d'âmes qui s'enlacent dans l'harmonie. » S'inspirant de Rousseau qu'il apprécie, il soutient que « l'homme, bien qu'il naisse libre, demeure esclave de la cruauté des lois que ses pères et ses aïeux ont établies » et célèbre la beauté euphonique et la pureté de la nature qu'il oppose à la corruption des hommes. Sur l'amour, il déclare, songeant sans doute à sa relation avec Mary Haskell : « Comme ils sont ignorants les gens qui pensent que l'amour naît d'une longue intimité, d'une fréquentation assidue ! Non, le véritable amour est le fruit d'une entente spirituelle... » Evoquant la mort, enfin, il fait dire à un moribond : « Le temps de l'esclavage est passé et mon âme aspire à la liberté céleste... » Mais le romancier ne parvient pas toujours à s'effacer derrière ses personnages, et quand Salma déclare qu'« un esprit assoiffé est plus grand que la matière désaltérée ; une âme apeurée est préférable à un corps apaisé », c'est bien la voix de Gibran qu'on entend. Ce qui, sur le plan formel, sauve *Les Ailes brisées*, c'est le souffle poétique qui anime l'ensemble : métaphores et symboles, présents jusque dans les titres des chapitres, sollicitent sans cesse l'imagination du lecteur ; et le rythme des phrases est si bien cadencé qu'on se figure en présence d'un poème en prose – genre que Gibran sera le premier à introduire dans la littérature arabe.

Gibran envoie un exemplaire dédicacé à Mary qui, le jour de son anniversaire, lui a écrit ces mots : « Chère main et cher œil, je remercie *le bon Dieu* qui, il y a vingt-neuf ans, vous a offert à votre mère, et qui nous a offert un an de plus pour être encore plus proches l'un de l'autre... O chère manifestation de Dieu, ô mon Maître. » Rarement relation entre un homme et une femme aura été plus ambiguë, plus compliquée, faite de flux et de reflux, de domination et d'adoration, de passion dévorante et de distance, à la fois platonique et d'une grande sensualité, exprimée par les mots et par la peinture, comme si Mary, en écrivant à Gibran ou en couchant dans son journal ses sentiments secrets, le possédait ; comme si Gibran, en peignant sa protectrice ou en lui dédiant ses textes, se l'appropriait... N'est-ce pas André Breton qui affirmait que « les mots font l'amour » ? De passage à New York, Mary entend la nuit une voix qui lui déclare : « Kahlil te dit que la patience a ses limites. Il doit avoir tout ou rien. » Elle interprète ce rêve comme une invitation à établir avec Gibran une relation sexuelle hors mariage, de sorte qu'un équilibre soit ainsi trouvé entre l'impossibilité pour elle de l'épouser et la force du désir qui les pousse l'un vers l'autre. Elle court chez son ami pour lui faire part de sa « vision ». Gibran refuse catégoriquement cette idée bâtarde. Peut-être songe-t-il aux risques d'une telle relation et à l'avortement que Micheline a subi par le passé, si tant est que cette information soit exacte.

– A présent, je sais que tu m'aimes, murmure-t-il.

Mary sursaute :

– Ne le savais-tu pas ?

– Si, mais différemment ! Mais je ne peux pas accepter ton offre : je t'aime trop pour accepter que tu sois mon amante...

Mary repart, honteuse d'avoir « osé » pareille proposition. Le soir, elle faillit à sa promesse de venir le voir avec Micheline qui est sur le point de se marier. Mais, dès le lendemain, elle revient à la charge :

– Avant mon retour à Boston, j'aimerais être à toi, lui dit-elle d'une voix impérieuse.

– J'aurais aimé le dire en premier, lui rétorque-t-il avec amertume.

– Tu m'as toujours dit que la clé est entre mes mains. Aujourd'hui, je te donne la clé.

– Mais pourquoi n'as-tu jamais abordé ce sujet auparavant ?

– Nous n'aurions jamais voulu en parler, si je n'avais pas pris l'initiative.

Gibran s'emporte :

– Mais je suis le premier à avoir déclaré mon amour, à avoir demandé ta main et souhaité que tu te rapproches de mon cœur ! A présent, je suis las de tenir une femme à poigne...

Tout est là, dans cet aveu d'un homme blessé. De nature, Gibran est susceptible et rancunier. Il n'a pas oublié le refus de sa protectrice, ni son embarras lorsque son frère l'a vue en sa compagnie (« Ce fut le coup qui m'a achevé, dira-t-il. L'homme en moi se devait de changer d'attitude en signe d'autoprotection »). Fatigué de l'indécision de Mary, il n'accepte plus qu'elle joue avec ses sentiments. Rien, dans son comportement, ne permet d'affirmer avec certains biographes qu'il feint de l'aimer pour continuer à profiter d'elle ou qu'il avait proposé de l'épouser pour lui témoigner sa reconnaissance et qu'il espérait, au fond, le refus de sa protectrice. Car les lettres de Gibran ne trompent pas : elles sont empreintes d'un amour sincère. Et, tout bien considéré, son attitude apparaît plus loyale que celle de Mary qui n'avoue jamais les vraies raisons qui l'empêchent d'épouser l'homme qu'elle dit vénérer : « Je ne peux plus supporter l'incertitude, lui écrira Gibran. Vous m'avez dit des tas de choses contradictoires avec un égal sérieux, et vraiment je ne sais plus quelle version croire. Des mois durant, j'en ai terriblement souffert. » Mary est, au fond, beaucoup plus compliquée

116

qu'on ne l'a jamais dit : la lecture de son journal et de ses lettres révèle une femme tiraillée entre une libido insatisfaite et des interdits insurmontables, entre son attirance pour les femmes et son désir des hommes, entre sa volonté de s'émanciper et le respect du décorum imposé par sa famille conservatrice... Certains psychanalystes ont jugé bon d'interpréter l'attitude de Gibran à l'égard de son amie dans le sens d'un complexe d'Œdipe mal résolu, jugeant que l'artiste a cherché le visage de sa mère à travers le visage de chaque femme, de sorte que toute relation amoureuse était pour lui source de conflit : d'un côté, l'appel du désir ; de l'autre, l'interdiction de violer le temple sacré de la mère. Or, cette analyse n'explique qu'en partie le comportement de Gibran – qui soutient dans *L'Aveugle* que « tout homme est l'enfant de la femme qu'il aime » –, puisque son blocage vis-à-vis de Mary était principalement dû à l'attitude instable de celle-ci et que, par ailleurs, ses relations avec d'autres femmes n'avaient rien de « conflictuel » – au sens psychanalytique du terme. Pourquoi, dès lors, ne s'est-il pas marié ? Jaloux de sa liberté, traumatisé par l'accident survenu à Micheline (dans ses écrits, Mary confirme qu'il craignait les conséquences fâcheuses d'une relation sexuelle), déçu par Posy, puis par Mary (« Que Dieu me vienne en aide contre les femmes gentilles, gâtées, qui se plaignent et qui doutent ! » écrira-t-il à Helena Ghostine), Gibran va choisir de ne plus jamais s'engager. Pour se donner bonne conscience, il affirme : « Si j'avais une femme et que je peignais ou que j'écrivais des poèmes, il m'arriverait d'oublier son existence pendant des jours. Aucune femme amoureuse ne supporterait très longtemps un tel mari ! » Mieux : tout en concédant que « les êtres les plus sexués de la planète sont les créateurs », il prétend transformer le pouvoir de sa libido en production artistique : « Moi aussi, j'ai une vive chaleur artistique, mais je crois qu'une grande partie de ma puissance en ce domaine passe dans mon œuvre... »

Toujours est-il qu'après quelques tentatives infructueuses, Mary Haskell finira par renoncer. Désormais, d'après son journal, elle ne regardera plus Gibran comme un ami dont elle est amoureuse, mais comme un mari avec qui elle entretient une grande amitié. Mais son humeur changeante acceptera-t-elle longtemps cette situation ? Pour le jeune homme, en tout cas, les choses sont claires : « Sur le plan personnel, intime, mes relations avec cette femme sont impossibles. Elles doivent être limitées à l'esprit et à l'âme. [Elle m'a] tellement blessé que l'amour se devait de trouver une autre forme d'expression. » Plus tard, il dira à Mary : « Si nous avions eu ce qu'on appelle une relation sexuelle, elle nous aurait séparés avec le temps... Nos vies ont connu la même trajectoire, et les relations sexuelles nous ont été épargnées. » De fait, malgré les caresses et les baisers invitant leurs corps à s'unir, ils ne franchiront jamais le pas.

Le 15 avril 1912, une terrible nouvelle secoue le monde entier. Le *Titanic* vient de sombrer avec, à son bord, des centaines de voyageurs dont un grand nombre de Libanais, entassés dans les cales [1]. Gibran éprouve un choc en apprenant la catastrophe. La nuit du drame, il ne dort que trois heures : « L'air était si lourd, écrit-il, à cause de cette horrible tragédie en mer... »

Le même jour, il rencontre Abdul Baha', le fils de Baha'Ullah, fondateur en Iran d'un mouvement spirituel appelé le Baha'isme, qui prône l'instauration d'une foi universelle, confesse l'Unité de Dieu, reconnaît l'Unité de ses prophètes, inculque le principe de l'Unité et de l'homogénéité de tout le genre humain, appelle à l'égalité des sexes et exalte le travail. Gibran fait le portrait de Abdul Baha' et l'invite à prononcer devant les membres et amis de la Chaîne d'or un discours sur l'unité des religions [2]. Puis, il se replonge dans l'écriture de *Pour que l'Univers soit bon*, dont il change le titre et qui devient : *Le Dieu de l'île*.

Au début de l'automne, Pierre Loti débarque à New York où doit se jouer *La Fille du Ciel*, la pièce de théâtre qu'il

---

1. Sur 85 Libanais embarqués à bord du *Titanic*, 52 trouvèrent la mort (M. Karam, *Les Libanais à bord du « Titanic »*, Beyrouth, 2000, p. 43).

2. A partir d'avril 1912, Abdul Baha' visitera en huit mois plus de quarante villes des Etats-Unis et du Canada, et prononcera plus de cent discours ! (Christian Cannuyer, *Les Bahai's*, éd. Brepols, 1987, p. 27.)

a écrite avec Judith, la fille aînée de Théophile Gautier. Le 26 septembre, Gibran le rencontre. « Loti est si délicat et si sensible, rapporte-t-il. Son âme artistique est pétrie de bien-faisantes maladies orientales... Il a soixante-deux ans, le visage magnifiquement poudré, fardé de rouge, et les yeux dessinés au crayon... Je me sens bien en présence d'un tel rêveur, d'un tel Occidental orientalisé. »

Un mois plus tard, à la fin de la représentation de la pièce, les deux hommes se revoient. Loti paraît fatigué, « dégoûté du vacarme de l'Amérique et du manque de raffinement des Américains ». Avant de prendre congé, il promet à Gibran de poser pour lui à Paris et lui donne ce conseil : « Sauvez votre âme en regagnant l'Orient ; votre place n'est pas en Amé-rique ! » Faut-il croire l'Académicien ? Gibran reste perplexe.

*
* *

Comment imaginer Gibran à cette époque de sa vie ? Il a le physique des gens de son village : le teint basané, le nez proéminent, la moustache noire et épaisse, les sourcils arqués et fournis, les cheveux légèrement bouclés, les lèvres char-nues. Son front large, majestueux comme une coupole, ses yeux vifs sous des paupières tombantes reflètent l'intelligence de ce personnage petit de taille, au cou puissant et aux mains fortes, dont le sourire radieux creuse des fossettes profondes et évoque la pureté des enfants. Son charisme est certain : « Quels que soient les intimes présents dans son cercle, rap-porte Claude Bragdon, le charme opère et il est le centre de l'attention. » Mary, pour sa part, le trouve « électrisant, mobile comme une flamme ». Au moral, il est d'un tempéra-ment plutôt triste. Il aime s'isoler (« La solitude est une tem-pête de silence qui arrache toutes nos branches mortes »), se complaît dans le travail. Fier, susceptible à l'extrême, il ne tolère aucune critique. Indépendant et révolté de nature, il répugne à l'injustice sous toutes ses formes. Une facette méconnue de sa personnalité ? La finesse de son humour. Sa correspondance avec May Ziadé, son amie du Caire, est émaillée de phrases drôles : quand elle lui reproche de préférer les blondes aux brunes, il lui répond par une prière : « O Dieu, envoyez l'un de vos anges informer May que votre serviteur chante aussi bien les louanges des cheveux bruns que celles des cheveux blonds ! » Dans une lettre à Mary Haskell du 21 janvier 1918, il écrit : « Je t'envoie deux peintures de lavis. Je te les envoie juste pour les couleurs qu'elles comportent – tes murs ont besoin de couleurs. Ils ne sont pas trop nus pour offenser les gens de Boston – j'entends les deux peintures, pas tes murs ! » Apprenant que sa protectrice a remis un voyage en Egypte, il lui déclare : « Je suis désolé que ton voyage ait été reporté. Mais l'Egypte est là depuis six mille ans, et restera encore là six mille autres années. Tu finiras bien par la visiter ! » Dans ses aphorismes, Gibran – qui regrette que « le sens de l'humour » de Jésus soit méconnu [1] – fait preuve de beaucoup d'esprit : « Ceux qui te donnent un serpent alors que tu leur demandes un poisson n'ont peut-être rien d'autre que des serpents à t'offrir. C'est donc généreux de leur part. » Ou bien : « Avoir le verbe haut n'est point signe d'intelligence. L'orateur n'est guère différent du camelot. » Et cette tirade inattendue : « Quiconque désire comprendre la femme, ou disséquer le génie, ou dévoiler le mystère du silence, est pareil à cet homme qui se réveille d'un rêve sublime pour prendre son petit déjeuner ! » Mary Haskell apprécie sa drôlerie : « Me feras-tu rire quand on se reverra au paradis ? » lui demande-t-elle. Et de noter dans son journal : « A chaque fois que je le rencontrais, même quand il était triste, il me faisait rire et rire… »

Gibran boit et fume beaucoup : « Aujourd'hui, écrit-il à sa protectrice, j'ai fumé plus de vingt cigarettes. Fumer, pour moi, est un plaisir non une habitude despotique… » La nuit, pour se

---

1. Dans son livre, *Jésus le Dieu qui riait*, (Stock-Fayard, 1999), Didier Decoin met en exergue cette belle phrase de Gibran, tirée de *Jésus Fils de l'Homme* : « C'était un homme joyeux. Ce fut sur le chemin de la joie qu'il rencontra les tristesses de tous les hommes. »

tenir éveillé et se consacrer à son œuvre, il consomme du café corsé et prend des bains froids. Ce mode de vie déréglé commence à lui user le corps : « Plus de quarante ans sont gravés sur son visage qui n'en a que trente-trois, note Mary. Son épaule gauche, accidentée depuis l'enfance, est presque paralysée. » Au cours de l'année 1913, Gibran rencontre un certain nombre de personnalités influentes dans le monde artistique new-yorkais, dont le poète Witter Bynner, éditeur du *McClure's Magazine*, et Arthur Bowen Davies, fondateur de l'*Association of American Painters and Sculptors* et organisateur de l'Exposition internationale d'art moderne, pour qui Mary Haskell acceptera de poser nue afin de rendre jaloux son protégé et provoquer chez lui une réaction. En février, Gibran cède à Mary une collection de dix tableaux pour rembourser sa dette envers elle. Il souhaite s'affranchir peu à peu de cette situation de dépendance qui le met mal à l'aise. N'appréciant pas que Mary lui déclare : « Je ne peux garder le contact avec vous qu'à travers l'argent », il lui répliquera avec amertume : « Dites-moi à présent quel a été votre but réel en me donnant de l'argent, et je saurai à quoi m'en tenir. Répondez-moi simplement de sorte que je ne sois pas fourvoyé. Etait-ce un don, un prêt ou un moyen pour raffermir nos relations ?... »

Gibran se replonge dans « Le Temple de l'Art », sa série de portraits, et réalise ceux de Thomas Edison et de Carl Gustav Jung qui acceptent de poser pour lui. Il rencontre aussi Henri Bergson, qui, exténué par son voyage aux Etats-Unis, lui promet de lui permettre de faire son portrait à Paris. Un peu plus tard, vient le tour du général Garibaldi, le petit-fils du fameux révolutionnaire italien, et de la « divine » Sarah Bernhardt. « En un mot, elle était gracieuse, affirme Gibran dans une lettre à Mary. Elle m'a parlé avec une grande joie de ses voyages en Syrie et en Egypte, et elle m'a informé que sa mère parlait l'arabe et que la musique de cette langue vivait et continue à vivre dans son âme. » Sarah Bernhardt n'est plus très jeune – elle a soixante-neuf ans –, mais n'a rien perdu de sa coquetterie. Elle accepte de poser pour Gibran à condition qu'il la dessine de loin pour ne pas montrer « les détails de son visage ». Le peintre s'exécute. A la fin de la séance, la tragédienne se penche sur son portrait : il lui plaît. Juste quelques rides à supprimer, et la bouche lippue à refaire… Gibran sait que « Sarah Bernhardt est difficile à satisfaire, à comprendre. Il est difficile d'être en sa compagnie. Elle a du tempérament. Il faut la traiter comme une reine sacrée, sinon on est fichu ». Il se montre patient, docile. En sortant, elle lui tend sa main gauche pour la baiser : insigne honneur qu'elle n'accorde qu'à ceux qu'elle apprécie.

En avril 1913, paraît à New York un nouveau périodique intitulé *Al Founoun* (Les Arts) dont le propriétaire est le jeune Nassib Arida. Gibran ne tarde pas à collaborer à ce journal : il y publie des articles très variés et des poèmes en prose. Le style qu'il adopte est reconnaissable entre tous : la fluidité de la phrase, l'emploi du parallélisme, de la répétition, de l'antonymie, la profusion d'images allusives et d'allégories chargent ses textes d'émotion et de poésie… Dans cette même revue, il signe des études littéraires consacrées aux grands mystiques Ghazali et Ibn al-Farid. D'où vient, chez lui, cette fascination pour le soufisme ? Initié très tôt aux œuvres des poètes soufis, Gibran n'est pas resté insensible à leurs idées. Ainsi, le symbole du « Moi ailé » et l'image des ailes, qui reviennent aussi bien dans ses écrits que dans ses dessins, semblent sortir tout droit de ce texte de Rumi :

> « Comment l'âme pourrait-elle ne pas prendre son essor quand de la glorieuse Présence, un appel affectueux, doux comme le miel, parvient jusqu'à elle et lui dit : "Elève-toi" ? Vole, vole, oiseau, vers ton séjour natal, car te voilà échappé de la cage et tes ailes sont déployées. Eloigne-toi de l'eau saumâtre, hâte-toi vers la source de la vie [1]… »

De même, l'image du soleil, très présente dans l'œuvre gibranienne, trouve très certainement sa source dans la symbolique soufie où l'astre du jour est considéré comme l'Esprit

---

1. Eva de Vitray-Meyerovitch, *Anthologie du soufisme*, Albin Michel, p. 52.

qui éclaire le monde, comme l'incarnation de l'unicité divine. « Le soleil, explique René Guénon, s'impose comme le symbole par excellence du Principe Un qui est l'Etre nécessaire, Celui qui seul se suffit à lui-même dans son absolue plénitude et de qui dépendent entièrement l'existence et la subsistance de toutes choses qui hors de lui ne seraient que néant [1]. » D'autres expressions, d'autres images, inspirées du soufisme, comme la faim spirituelle, la nostalgie, le voile, le *nay*... se retrouvent chez Gibran, confirmant ainsi que « si ses œuvres ne doivent pas être considérées comme des essais de représentation fidèle à la doctrine soufie, elles expriment néanmoins son interprétation des conceptions soufies, vues à travers le prisme de sa propre sensibilité poétique [2] ».

Sous l'influence des maîtres soufis, Gibran est hanté par l'idée d'une purification intérieure qui s'étend à tous les niveaux du psychisme humain : la purification de l'âme *(nafs)* par la pénitence et l'ascèse, du cœur *(qalb)* par la solitude, la retraite et la méditation, de l'esprit *(ruh)* par la foi et l'amour orientés vers l'union à Dieu [3]. Toute son existence, il aspirera à cette purification, sans cesse contrariée par la vie trépidante de New York ou de Boston – ses retraites spirituelles sont trop courtes à son gré, et ses références incessantes à sa région natale ne sont peut-être qu'une tentative d'évasion vers des lieux plus propices à la méditation –, mais aussi par ce qu'il appelle pudiquement « les envies de la vie ». Avec les soufis, il partage les concepts de l'unicité de l'existence *(ahadiat al woujoud)* et de l'union avec Dieu, où s'expriment des influences néo-platoniciennes et bouddhistes [4] :

« Ecoute, ô bien-aimé !
Je suis la Réalité du monde,

---

1. Cité in Malek Chebel, *Dictionnaire des symboles musulmans*, Albin Michel, 1995, p. 394.

2. Souheil Bushrui et Joe Jenkins, *Khalil Gibran*, éd. Véga, Paris, 2001, p. 279 ; Antoine Ghattas Karam, *op. cit.*, p. 242.

3. Jean Chevalier, *Le Soufisme*, PUF, p. 97.

4. Djamchid Mortazavi, *Le Secret de l'Unité dans l'ésotérisme iranien*, Dervy-Livres, 1988, chap. I.

Le centre et la circonférence,
J'en suis les parties et le tout...
Bien-aimé, allons vers l'union...
Allons la main dans la main,
Entrons en la présence de la Vérité,
Qu'elle soit notre juge
Et imprime à jamais
Son sceau sur Notre union [1]. »

Gibran éprouve une grande admiration pour Ghazali et il le dit : « En Ghazali, j'ai trouvé ce qui fait de lui un maillon doré qui relie ses prédécesseurs, les mystiques de l'Inde, aux autres théologiens qui lui ont succédé. Dans les penchants de Ghazali, nous retrouvons quelques réminiscences qui remontent à ce que la pensée bouddhiste a pu jadis atteindre ; et dans les œuvres récentes de Spinoza ou de William Blake, on trouve l'empreinte de ses sentiments. » Convaincu comme ce grand penseur soufi que le monde est le miroir de Dieu, il souscrit à l'idée selon laquelle « la miséricorde divine a conféré au monde visible une correspondance avec le monde du royaume céleste, et pour cette raison, il n'existe pas une seule chose dans ce monde du sens qui ne soit un symbole de quelque chose dans l'autre monde. Il n'existe qu'une Réalité, l'unicité divine ; en prendre conscience, c'est parvenir à l'union [2]... ».

Quant à Ibn al-Farid, il fut, selon Gibran, « un poète d'inspiration divine. Son âme assoiffée s'abreuvait du vin de l'esprit jusqu'à s'enivrer ; dès lors, elle errait en volant par-dessus le monde sensible, là où voguent les rêves des poètes, les soupirs des amoureux et les désirs des mystiques. Puis, surprise de se voir dégrisée, elle revenait dans le monde visible pour coucher sur le papier ce qu'elle avait vu et entendu ». Gibran partage avec ce poète le thème du désir mystique de se fondre dans l'Esprit (« Mon âme n'a jamais cessé de se nourrir de désirs spirituels », affirme Ibn al-Farid) et l'idée selon laquelle toutes choses en réalité sont une et ne sont que les

---

1. Ibn Arabi, in *Anthologie du soufisme*, p. 46.
2. Ghazali, *ibid.*, p. 302.

attributs de l'Essence divine : « Tous les êtres dans leur langage, si tu écoutes seulement, apportent un éloquent témoignage à mon unité... Tout en moi recherche mon Tout et tend vers lui [1]. » L'amphibologie d'un amour humain-divin, présente chez Ibn al-Farid comme chez la plupart des poètes soufis, ne peut que séduire Gibran : Dieu devient « Elle », l'amant divin :

« Oui, il me plaît que ma vie s'achève à force de désir avant que je ne T'ai conquise, pourvu que mon amour pour Toi soit jugé véritable.
Et si mon désir de Toi ne peut être satisfait parce qu'il vise trop haut, c'est assez pour ma fierté que d'être réputé Ton amant [2]. »

Et l'amour terrestre qui, dans le soufisme, apparaît comme le moyen d'atteindre l'amour divin et d'accéder à l'Union [3], trouve son illustration dans l'œuvre picturale de Gibran où foisonnent les couples qui s'unissent, les bras en croix ou enlacés, au milieu de la nature ou sous l'œil approbateur du crucifix...

Soucieux de se créer un cadre plus propice à la méditation, Gibran emménage le 1er mai dans le quatrième et dernier étage de l'immeuble où il habite. L'appartement, plus spacieux et mieux éclairé que le précédent, peut aisément accueillir son atelier. Désormais, ce lieu que Rihani décrit comme un « salon dédié à la pensée, à l'art et au beau » et où sont réunis chevalets, tableaux, livres, paperasses, antiquités et statues, sera baptisé : « *As Saoumaa* » ou « l'Ermitage ». Rarement lieu aura mieux porté son nom. A cette époque de sa vie où le mysticisme commence à prendre le dessus sur ses attitudes belliqueuses, l'artiste aime de plus en plus se retrancher dans le silence. « Il est libre quand il est seul », note

---

1. Ibn al-Farid, *La grande Taiyya*, traduite et présentée par Claudine Chonez, éd. de la Différence, 1987, pp. 45 et 55.
2. *Ibid.*, p. 25.
3. Khaled Bentounès, *Le Soufisme, cœur de l'islam*, éd. Pocket, p. 181.

Mary qui le connaît mieux que quiconque. « J'aimerais bien être un ermite », lui écrit-il, songeant sans doute à ceux qu'il voyait, enfant, au couvent Saint-Antoine de Qoshaya. Et d'ajouter, dans une autre lettre : « J'aime rester où se trouvent mes toiles et mes livres... »

Le 25 octobre, Mary est secrètement soignée dans un établissement médical. Certains auteurs affirment qu'elle souffrait d'une névrite douloureuse, d'autres prétendent qu'elle serait tombée enceinte du peintre Davies (qui lui avait demandé de poser pour lui [1]), et aurait subi un curetage, ce qui expliquerait le rejet et l'amertume de Gibran à son égard. Quel que soit le crédit que l'on puisse accorder à l'hypothèse d'une grossesse ou d'une maladie vénérienne (les lettres de Gibran datées du 26 et du 30 octobre laissent supposer que quelque chose d'inhabituel s'est produit), il reste que le malaise au sein du couple Gibran-Mary est bien antérieur à cet incident.

Le 16 novembre, Mary adresse à Gibran une lettre qui résume parfaitement le parcours de l'artiste :

> « Je suis très consciente de vos souffrances, même si vous n'en parlez pas. Lorsque je pense aux multiples fardeaux que vous portez, au travail incessant et épuisant comme les douleurs de l'accouchement, et que je pense aux deux arts et aux deux langues que vous pratiquez, aux deux mondes, aux deux ères, le présent et le futur, à la solitude et aux handicaps, quand je pense à toutes ces choses à travers lesquelles vous devez mener votre vie qui dépasse celle de deux génies ; lorsque je pense à votre manque de moyens, à votre petite santé, au manque d'aide familiale, de formation, à l'absence du milieu d'origine [...], et que je pense aux coups de poignard occasionnels qui surgissent de l'obscurité confiante [...] de telle sorte que votre vie se meut d'une

---

1. En ce sens : Chikhani, *Religion et société dans l'œuvre de Gibran*, Publications de l'Université libanaise, Beyrouth, 1997.

peine à une autre… quand j'y pense, tout cela me blesse d'une marque plus profonde qu'une plaie. Et à la fin, j'invoque Dieu [...]. Ces souffrances sont infimes, comparées à ce qui va naître. Le fruit de ce que vous pouvez réaliser comme travail va au-delà de cette génération, et peut-être persistera durant plusieurs générations. »

Mary croit en Gibran, et cette foi, qui rachète les souffrances que ses caprices lui ont fait subir, donne à l'artiste des ailes.

9

MAY

« May » est le prénom adopté par cette femme tourmentée qui, comme la mer, apparaît tantôt calme et transparente, tantôt déchaînée. May Ziadé [1] voit le jour en 1886 à Nazareth. Son père, enseignant, est libanais, originaire d'Ehden, bourgade du Liban-Nord située non loin de Bécharré ; sa mère, palestinienne. Elle vit son enfance au pays des Cèdres et fréquente le Collège de Antoura fondé par les Lazaristes. En 1908, son père quitte le Liban et s'installe en Egypte où il prend la direction du journal *Al-Mahrousah*. Douée d'un talent hors du commun, May, qui maîtrise parfaitement plusieurs langues dont l'arabe, le français et l'anglais, se lance dans le journalisme et dans la littérature. Bien que la femme, en général, ne soit pas très valorisée dans le milieu qu'elle fréquente, elle s'affirme rapidement comme critique littéraire,

---

1. Son vrai prénom est « Marie ». Dans ses lettres, Gibran l'appelle tantôt May, tantôt Marie.

et publie, sous le pseudonyme d'Isis Copia, un recueil de poèmes en français, intitulé : *Fleurs de rêve*, paru en 1911. Féministe engagée, elle transforme son appartement au Caire en salon littéraire et y accueille, chaque mardi soir, les grands intellectuels de son époque : Taha Hussein, Yacoub Sarrouf, Lutfi es-Sayyed, Abbas Mahmoud al-Aqqad, Edgar Jallad, Ismail Sabri, Mustafah Sadek, Antoun Gemayel, Waly al-din Yakan... Elle deviendra leur muse.

C'est en 1912 que May découvre Gibran à travers son article, *Le Jour de ma naissance,* publié dans la presse. Elle tombe sous le charme du style de l'écrivain. La même année paraît *Les Ailes brisées.* May lit le livre, l'apprécie et écrit à Gibran pour l'en féliciter :

> « Je partage votre principe fondamental qui déclare la femme libre. Car la femme doit être comme l'homme absolument libre de choisir son époux, suivant ses tendances et ses propres intuitions : sa vie ne peut être conditionnée par le moule que lui choisissent les voisins et les connaissances... »

Gibran lui répond : c'est le début d'une correspondance en arabe qui durera jusqu'à la mort de l'écrivain. Que se disent les deux exilés ? Au départ, ils s'échangent des compliments, parlent de littérature, mais peu à peu s'installe entre eux une complicité qui se transforme en amour. Gibran commence ses premières lettres, qu'il rédige avec beaucoup plus de soin que celles qu'il adresse à Mary Haskell, par la formule « Au distingué et talentueux écrivain », mais finit par appeler sa correspondante « ma bien-aimée ». Il lui raconte ses journées, évoque son enfance, ses rêves, sa nostalgie de l'Orient, lui envoie des cartons d'invitation à ses expositions ou à ses lectures, des coupures de presse sur son œuvre, des cartes postales relatives aux peintres qu'il chérit. Parfois, dans la marge, il esquisse de petits dessins tantôt drôles, tantôt symboliques. Le 24 mars 1913, lors de la cérémonie d'hommage à l'écrivain libanais Khalil Moutran, qui se tient au Caire, il lui demande même de le représenter et de lire un texte en son nom.

May est une nature sensible et rêveuse. Quand la Grande Guerre éclate et qu'elle empêche l'acheminement du courrier, la jeune fille s'accroche au souvenir de son lointain correspondant et refuse tous les prétendants. Dans un article publié en 1916 dans le journal de son père, elle exprime son souhait d'être en présence du visage cher que la distance l'empêche de voir, et se figure planant au-dessus de la mer pour aller à sa rencontre. Dans son univers romantique, Gibran, on le devine, occupe déjà une place à part.

Sans jamais se rencontrer, les deux écrivains se sentent très proches l'un de l'autre, si proches que Gibran considère que « des fils invisibles » relient sa pensée à celle de May, et son âme à la sienne, et s'imagine que l'esprit de May, grâce à ce qu'il appelle « l'élément éthéré », l'accompagne où qu'il aille, de même qu'il emploie la première personne du pluriel dans certaines lettres adressées à Mary Haskell pour lui signifier que leurs âmes sont unies malgré la distance :

> « Vous avez exprimé votre regret de ne pouvoir assister au "banquet artistique", et votre regret m'étonne ; à vrai dire, il me stupéfie. Ne vous souvient-il pas que nous étions ensemble à l'exposition ? Avez-vous oublié la façon dont nous passions d'un tableau à l'autre ? [...] Manifestement, l'élément éthéré en nous agit et se meut à notre insu. Il vogue à travers le ciel de l'autre côté du globe [...]. L'élément éthéré en nous est mystérieux, May, et une multitude de ses manifestations nous sont inconnues. Que nous arrivions ou non à le reconnaître, il reste notre espoir et notre but ; notre destinée et notre perfection ; il est notre véritable Moi dans notre état divin. Je crois que si vous exerciez votre mémoire, vous vous souviendriez de notre visite à l'exposition – alors pourquoi ne le faites-vous pas ? »

Et dans une autre lettre :

> « Vous avez toujours été présente dans mon esprit depuis la dernière fois où je vous ai écrit. J'ai passé de longues heures à penser à vous, à vous parler, à m'efforcer de

découvrir vos secrets, à tenter d'éclaircir vos mystères. Devrais-je, dès lors, m'étonner de sentir la présence de votre Moi éthéré incorporel dans mon studio, observant mes mouvements, conversant et discutant avec moi, exprimant des opinions sur ce que je fais ? »

En juin 1921, May lui envoie sa photo, une photo dont il s'inspirera pour lui faire, au fusain, son portrait. Il découvre avec bonheur une femme à la figure ronde, au visage plein, aux cheveux bruns assez courts, séparés par une raie, aux yeux coupés en amande surmontés d'épais sourcils, à la bouche sensuelle et aux lèvres charnues. Il y a, dans son regard, quelque chose d'expressif et de lumineux qui l'électrise ; il y a, dans ses traits, quelque chose de masculin, une dureté latente qui, loin de déparer sa beauté, lui confère un charme supplémentaire : May incarne la féminité orientale. « Qu'elle est belle, cette photo, lui répond-il. Qu'elle est belle cette jeune fille et combien nettes sont les marques d'intelligence dans ses yeux ! » Devant ce cliché qui donne un visage à cet amour éthéré, né d'innocentes relations épistolaires, il reste sans doute songeur. Cette femme a tout pour lui plaire. Mais elle est si loin. Et il ne se sent pas encore prêt à quitter l'Amérique pour aliéner sa liberté. Alors ? Ne pas couper le pont, ne pas franchir le pas. Cet amour spirituel, intellectuel, lui convient. Mais elle ? Songe-t-il seulement aux fausses espérances que ses belles paroles font naître dans le cœur de sa correspondante ?

En octobre 1923, Gibran se trouve en manque d'amour : Posy, Micheline, Charlotte et Gertrude ne sont plus là ; Mary s'est éloignée. N'y tenant plus, il écrit à May pour lui déclarer sans cérémonie : « Tu vis en moi et je vis en toi, tu le sais et je le sais. » Au mois de décembre de la même année, il persiste et signe :

« A cette heure, tu es près de moi ; nous sommes ensemble, May [...]. Je sais qu'en cette nuit, nous sommes plus près du trône de Dieu qu'à aucun autre moment dans le passé [...]. De tous les êtres, tu es la plus proche de mon âme et de mon cœur, et jamais nos âmes et nos cœurs n'ont eu de différend... J'aime ma douce, mais je ne peux pas dire avec mon esprit pourquoi je l'aime. Je ne veux pas le savoir dans mon esprit, il me suffit que je l'aime. Il suffit que je l'aime dans mon cœur. Il me suffit de reposer ma tête sur son épaule quand je suis triste, abandonné et solitaire, ou quand je suis heureux, plein d'enthousiasme et d'exultation. Il me suffit de marcher à ses côtés en direction du sommet de la montagne et de lui dire de temps en temps : "Tu es ma compagne, tu es ma compagne"... »

May se montre pudique, réservée, et quand certains propos de son correspondant l'effarouchent, soit qu'il se montre trop audacieux ou qu'il raille le ton formel qu'elle adopte sans le vouloir, elle le « boude » et se retranche dans un mutisme qui dure parfois plusieurs mois. Ses vrais sentiments, elle les livre plutôt dans ses articles. A côté des critiques élogieuses qu'elle ne manque pas de consacrer à l'œuvre de Gibran, elle rédige nombre de textes où, sans jamais le citer, elle apostrophe son amoureux. Dans un article intitulé « Toi, l'étranger », elle exprime toute sa passion pour celui qui « ne sait pas qu'elle l'aime » et « dont elle cherche la voix parmi toutes les voix qu'elle entend ». Mais elle doute et se demande si elle se fait des illusions, si son amour n'est pas imaginaire. Dans « A la croisée des chemins », elle interroge l'homme qui habite ses pensées : « Qui es-tu ? Es-tu une révélation qui déborde de ma poésie, un spectre parmi les fantômes de mon désir et de ma souffrance ? Ou une réalité palpable qui a traversé l'horizon de ma vie comme un vaisseau la mer pour gagner des rivages lointains ? »

Dans une lettre du 15 janvier 1924, perdant patience, May ose enfin déclarer sa flamme à son correspondant. Après une longue introduction où, sur un ton badin, elle reproche à Gibran d'avoir oublié de lui adresser ses vœux à l'occasion des fêtes et évoque la rivalité légendaire entre les gens de Bécharré et ceux d'Ehden, son village, May avoue enfin son amour à celui qu'elle surnomme « Al-Mustafa », l'élu, comme le personnage central du *Prophète* :

« Gibran, j'ai écrit ces pages en riant pour éviter de te dire que tu es mon bien-aimé, pour éviter le mot "amour". J'attends beaucoup de l'amour et je crains qu'il ne m'apporte pas tout ce que j'attends de lui. Je dis cela tout en sachant que peu d'amour représente beaucoup. Mais peu d'amour ne me satisfait pas [...]. Mes épanchements auprès de vous – que signifient-ils ? Je ne sais pas vraiment ce que je veux dire par tout cela. Mais je sais que vous êtes mon bien-aimé et que je vénère l'amour [...]. Comment se fait-il que je vous avoue mes pensées ? [...] Dieu merci, j'écris tout cela au lieu de le dire, parce que si vous étiez maintenant ici, présent en chair et en os, je me rétracterais et vous fuirais pour longtemps, et je ne vous permettrais de me revoir que lorsque vous aurez oublié mes paroles.

Le soleil a sombré sous l'horizon lointain et entre les nuages, merveilleux de forme et d'aspect, est apparu un astre unique et brillant, Vénus, la déesse de l'amour. Je me demande si cet astre est habité par des gens comme nous, qui aiment et sont remplis d'un désir éperdu. Se peut-il que Vénus ne soit pas comme moi et n'ait pas son Gibran – une lointaine et belle présence, qui est en réalité très proche ? »

Que répond Gibran ? Dans sa lettre du 26 février 1924, il commence par évoquer sa passion pour les orages, lance une boutade à propos de sa barbe qui est « un événement d'une importance internationale », puis déclare à sa correspondante :

« Vous me dites que vous avez peur de l'amour ; pourquoi ma douce ? Craignez-vous la lumière du soleil ? Craignez-vous le flux et le reflux de la mer ? [...] Je me demande pourquoi vous craignez l'amour. Je sais que l'amour d'une âme basse ne peut vous satisfaire, et je sais qu'il en va de même pour moi. Vous et moi ne saurions nous satisfaire de ce qui vient d'une âme mesquine. Nous sommes exigeants. Nous voulons tout avoir. Nous cherchons la perfection... O Marie ne craignez pas l'amour ;

ne le craignez pas amie de mon cœur. Nous devons nous soumettre à lui malgré tout ce qu'il peut nous apporter de souffrance, de désolation, de désir éperdu et aussi de perplexité et de confusion… Et maintenant, venez plus près, approchez votre front charmant de moi – comme ceci, comme ceci, et que Dieu vous bénisse et vous protège, compagne bien-aimée de mon cœur. »

May reste sur sa faim. Certes, Gibran lui parle d'amour. Mais ses propos sont si idéalistes qu'ils apparaissent impersonnels, décalés. Pris de court par l'attitude imprévue de sa correspondante, Gibran semble avoir choisi de battre en retraite pour sauvegarder sa liberté ou sauvegarder son temps – qu'il sait limité –, préférant ne pas s'engager dans une relation qui aurait exigé, de sa part comme de la part de son amoureuse, de grands sacrifices. May réalise alors, avec amertume, qu'il existe un malentendu profond entre son propre désir et l'idée que Gibran se fait de leur relation. Elle regrette d'avoir été si franche, si directe. Huit mois durant, elle va se taire. Un silence que Gibran juge « aussi long que l'éternité ».

Malgré tout, leur correspondance se poursuivra, plus espacée, jusqu'à la mort de Gibran. La dernière lettre que recevra May de son ami contient un dessin qui représente une paume ouverte où brille une flamme bleue… Tout un symbole ! Apprenant le décès de l'artiste, May poussera un terrible cri de douleur. Dix ans plus tard, elle mourra à son tour, sans avoir aimé d'autres hommes que lui.

*
* *

Cette relation épistolaire entre Gibran et May a fait couler beaucoup d'encre. Certains auteurs, exagérant son importance dans la vie de Gibran, soutiennent que celui-ci demanda May en mariage ; d'autres attribuent à la mort prématurée de Gibran l'état de folie dans lequel elle sombra à la fin de ses jours, en se fondant sur une photo de Gibran comportant ces mots, griffonnés par May : « Voici ma tragédie depuis des années. » Ces thèses sont discutables : les lettres dont nous disposons aujourd'hui (beaucoup ont été égarées ou éparpillées) ne parlent jamais de mariage, et la dépression dont souffrait May est également due à sa tristesse et à sa solitude suite au décès de ses parents et de son ami le plus cher, Yacoub Sarrouf, et au harcèlement que ses proches exerçaient sur elle pour mettre la main sur ses biens... Quoi qu'il en soit, la correspondance entre les deux écrivains demeure l'une des plus fécondes, l'une des plus belles de la littérature arabe, et constitue sans doute la meilleure illustration de la formidable propension de Gibran à *aimer*, même sans posséder, même à distance :

> « On me dit, May, que j'ai de l'amour pour les gens, et certains me reprochent d'aimer tout le monde. Il est vrai que j'aime tout le monde, je les aime totalement, sans discrimination, ni préférence [...]. Mais chaque cœur a l'objet de son adoration, sa direction unique vers laquelle il se tourne quand il est seul. Chaque cœur a son sanctuaire dans lequel il se retire pour trouver le réconfort et la consolation. Chaque cœur brûle pour un autre cœur avec lequel il peut fusionner pour partager les bienfaits de la vie, ou pour en oublier les chagrins. »

Paroles admirables d'un homme qui, toute sa vie, n'oublia jamais d'aimer, sans jamais trouver l'amour de sa vie.

10

LA GRANDE GUERRE

La guerre qui éclate en Europe se répand comme le typhus. Bien qu'il se trouve à des milliers de kilomètres du champ de bataille, Gibran ne reste pas indifférent à la tragédie. Les nouvelles du Liban le plongent dans le désarroi : prétextant du blocus exercé par les Alliés, les autorités ottomanes s'approprient toutes les ressources du pays et n'assurent plus le ravitaillement de Beyrouth. Le bétail est réquisitionné, la chasse prohibée. La situation est aggravée par les épidémies et par une invasion de sauterelles qui ravage les récoltes. La famine s'installe : dans les rues errent des enfants squelettiques au ventre ballonné ; on dénombre jusqu'à cent morts par jour à Beyrouth. Désespérés, les affamés cèdent leurs biens pour un ratl (2,5 kilos) de farine. A Aley, la Cour martiale du commandant militaire ottoman, Jamal Pacha, alias « *Al Jazzar* » (« Le Boucher »), ne chôme pas. Les opposants à l'occupation ottomane sont réduits au silence, pendus sur la place publique : en 1915 et en 1916, les Turcs conduisent à la potence plusieurs nationalistes libanais et arabes, accusés de haute trahison à cause de leurs contacts avec les Alliés. Pour Gibran, « ce qui se passe au Mont-Liban n'est qu'une répétition de la tragédie qui s'est passée en Arménie ». Il se sent coupable, coupable d'être loin de ceux qui « meurent en silence ». Il sait que « les lamentations n'apaiseront pas leur faim et que les larmes ne sauront étancher leur soif ». Alors, il se mobilise et accepte sans hésiter le poste de secrétaire du Comité d'aide aux sinistrés de Syrie et du Mont-Liban dont Amin Rihani est le vice-président. « C'est une grande responsabilité, écrit-il à Mary. Mais je dois la porter. Les grandes tragédies élargissent le cœur des hommes. Je n'ai jamais eu l'occasion de servir mon peuple par un travail de ce genre. Je suis heureux de l'aider un peu et je sens que Dieu m'aidera. » Il se dépense sans compter, appelle à contribution la communauté syro-libanaise de Boston et de New York et, avec le soutien de la Croix-Rouge américaine, parvient à envoyer à ses compatriotes sinistrés un steamer chargé d'aide alimentaire. En 1917, au lendemain de l'entrée en guerre des Etats-Unis, Gibran s'engage davantage encore : il adhère au Comité des volontaires de la Syrie et du Mont-Liban, présidé par Ayoub Tabet, son ancien camarade de classe, et chargé de recruter des Syriens et des Libanais d'Amérique prêts à se battre aux côtés des Alliés pour libérer la région du joug ottoman. En septembre, le nombre de ces volontaires atteindra quinze mille hommes environ, qui s'engageront dans les rangs de la Légion d'Orient de l'armée française basée à Chypre [1]...

Se fondant sur l'action de Gibran pendant cette période, certains essayistes ont fait de lui un doctrinaire, un idéologue, le champion de la cause syrienne. Il n'en est rien : Gibran n'est pas un politicien. « Dispensez-moi des événements politiques et des histoires de pouvoir, écrit-il dans *Larme et Sourire*, car la terre entière est ma patrie et tous les hommes sont mes compatriotes. » A ceux qui l'exhortent à endosser le rôle de chef politique, il déclare : « Je ne suis pas un politicien et je

---

1. Sur cette Légion : P. Fournié et J.-L. Riccioli, *La France et le Proche-Orient (1916-1946)*, Casterman, 1996, p. 51.

ne veux pas l'être. » Aussi, dans *Les Tempêtes,* qui raconte l'histoire de Youssef Fakhry, qui, à trente ans, décide de se retirer du tumulte de la société et de s'établir dans un ermitage loin de la ville, fait-il dire à son héros : « J'ai fui ces politiciens qui cherchent à se placer et qui détruisent des gens en leur jetant aux yeux de la poudre d'or et en emplissant leurs oreilles de bavardages qui ne veulent rien dire. » Mais Gibran a un sens de la responsabilité qui l'incite à s'engager quand le devoir l'appelle. Ce qui préoccupe principalement ce réformateur, c'est la condition humaine qu'il veut affranchir de tous les esclavages, et l'idéal de liberté qu'il a toujours prôné et qui l'incite à réclamer la libération des territoires arabes occupés par les Ottomans.

Absorbé par son activité humanitaire, bouleversé par les nouvelles tragiques qui lui parviennent d'Europe et du Levant, Gibran ralentit sa production littéraire. Il publie certes, en 1914, *Larme et Sourire,* mais ce recueil n'est qu'une compilation d'articles en arabe parus dans *Al-Mouhajer* qu'il hésitait lui-même à éditer : « Il s'agit d'une période révolue de ma vie vécue dans la lamentation et le lyrisme... » Ces articles, au nombre de 56, sont animés d'un souffle humaniste et comportent des réflexions sur la vie, l'amour, la situation au Liban et en Syrie. La forme adoptée, celle du poème en prose, n'est pas commune dans la littérature arabe. En cela, Gibran fait figure de précurseur.

C'est vers cette époque que Gibran, sans doute à l'instigation de Mary Haskell, éprouve le besoin, ou du moins l'envie, de s'exprimer en anglais, cette langue qui pourrait lui ouvrir bien des portes et lui permettre de toucher le public américain. Il y a un filon à exploiter, il le sent : « Les Occidentaux sont maintenant lassés des fantômes de leurs âmes et sont fatigués d'eux-mêmes, de sorte qu'ils s'accrochent à l'exotique et à l'insolite, en particulier aux choses de l'Orient », écrit-il à May Ziadé. « Les êtres humains ont beaucoup changé au cours des trois dernières années, ajoutera-t-il en 1918. Ils ont faim de beauté, de vérité et de ce qui existe au-delà de la beauté et de la vérité. » Il maîtrise mal l'anglais ? Qu'à cela ne tienne ! Il se replonge dans l'œuvre de Shakespeare, lit et relit la Bible dans la version King James... « Je vais à ton école et je suis sûr que je n'aurais pas écrit un seul mot en anglais s'il n'était pas pour toi..., avouera-t-il à Mary Haskell. Mon anglais reste très limité, mais je peux apprendre. » Peu à peu, grâce à sa volonté et à un travail long et assidu, Gibran apprivoise la langue de Shakespeare, sans pour autant renier sa langue maternelle qui l'habite toujours : « Je continue à penser en arabe », avoue-t-il à Mary Haskell. Souvent, affirme Barbara Young qui fut son assistante à la fin de ses jours, « la langue anglaise ne convenait pas avec une parfaite exactitude au sens de la pensée qu'il voulait exprimer ; et il disait à ce propos : "Il est quarante mots en arabe pour exprimer les différentes facettes du mot amour." Cette richesse linguistique de la langue arabe, qui était la sienne, et cette passion qu'il éprouvait pour cette langue, l'incitaient à sonder le mot qui correspondait le mieux en anglais, toujours dans un style simple. » Les progrès de Gibran sont rapides. Il opte pour une structure épurée, puise dans le style biblique : « L'anglais de Kahlil est le plus raffiné que je connaisse : il est raffiné et merveilleusement simple », note bientôt Mary dans son journal. Et d'ajouter, non sans exagération : « Il connaît l'anglais mieux que quiconque, car il a conscience de la structure de la langue et de son "système solaire". Il *crée* l'anglais. » En vérité, Gibran possède une imagination sans bornes et le sens du rythme : « Les poètes, affirme-t-il, doivent écouter le rythme de la mer. On trouve le même rythme dans le Livre de Job et dans tous les magnifiques passages de l'Ancien Testament... C'est de cette musique que nous devons nous inspirer, ainsi que de la mélodie du vent et du friselis des feuilles. » Ainsi, bien que classique – elle comprend des mots peu usités comme : *aught, verily, yea...* –, sa langue anglaise n'est pas rigide : elle *s'assouplit* grâce à sa musique « maritime » et à ses images allusives. Elle a la limpidité des paraboles. Plus tard, il dira à propos de sa langue d'adoption : « Je ne suis qu'un hôte dans la demeure de la langue anglaise et je ne fais que lui témoigner mon respect. Je ne me hasarderais point à prendre des libertés avec elle, comme se le permettent certains de ses enfants. »

Par où commencer ? Il y a, bien sûr, le projet du *Prophète* qu'il traîne depuis l'enfance. Mais le travail avance très lentement. Il faut trouver un sujet moins ambitieux, qui puisse accueillir ses idées et sa nouvelle langue d'adoption. Gibran réfléchit : qui, en toute impunité, peut dénoncer la stupidité et la lâcheté des hommes, arracher les voiles et les masques de la société ? Le fou. L'idée le séduit. Il n'oublie pas Qozhaya, dans la Vallée sainte, et cette grotte où l'on enchaînait les fous pour, croyait-on, les rendre à la raison. Dans « Youhanna le Fou », il avait déjà proclamé que « le fou, c'est celui qui ose dire la vérité », celui qui rompt avec les traditions obsolètes et qu'on « crucifie » parce qu'il aspire au changement. Dans ses pièces de théâtre publiées à titre posthume, *L'Aveugle* et *Lazare et sa bien-aimée*, le Fou est, sur scène, un observateur éclairé qui commente avec philosophie l'histoire qui se déroule sous ses yeux. Pour Gibran, « la folie est le premier pas vers l'absence d'égoïsme... Le but de la vie est de nous rapprocher de ses secrets, et la folie en est le seul moyen ». Il intitulera donc son prochain livre : *The Madman*. Reste à l'écrire.

En attendant, il collabore à une nouvelle revue littéraire, *The Seven Arts*, dirigée par un jeune poète américain, James Oppenheim. Cette revue, à laquelle contribuent aussi des écrivains de renom comme John Dos Passos, D. H. Lawrence et Bertrand Russell, va servir de tremplin à sa carrière et le faire connaître dans les cercles artistiques new-yorkais. Il y publie ses dessins et, surtout, ses premiers textes en anglais, révisés et retouchés par la bienveillante Mary Haskell, comme « La Nuit et le Fou » ou « La Mer suprême ». Mais cette collaboration sera éphémère : en raison des idées pacifistes de la revue qui critique ouvertement l'entrée en guerre des Etats-Unis, Gibran se voit bientôt obligé de démissionner du comité de rédaction afin de ne pas se mettre en porte à faux vis-à-vis de ses amis libanais et syriens : « Je suis contre la guerre, explique-t-il. Mais c'est pour cette raison que j'utilise cette guerre... »

Et l'art pictural ? « L'air est rempli de pleurs, écrit-il à Mary. Et l'on ne peut respirer sans sentir le goût du sang. »

Gibran étouffe. Mais il refuse de céder au désespoir. Vêtu de sa *abaya* blanche, ce vêtement ample aux manches évasées, qu'il porte toujours dans son atelier, il se réfugie dans la peinture. Il achève une grande toile représentant sa mère portant un enfant (lui ?) et entourée de ses deux filles, ainsi que plusieurs tableaux qu'il expose, grâce à l'intervention d'Alexander Morten, à partir du 14 décembre 1914, à la Montross Gallery, au 550, de la 5th Avenue. L'exposition, la première depuis son retour de Paris, fait l'objet de critiques mitigées dans la presse new-yorkaise, mais lui rapporte près de cinq mille dollars. Elle sera suivie, en 1917, de deux autres : l'une à la galerie Knoedler & Co à New York, où quarante de ses aquarelles seront exposées à côté de peintures de Bonnard, Carrière, Cézanne et Pissarro ; l'autre chez Doll & Richards à Boston.

Le soir de l'exposition chez Montross, Gibran et Mary se retrouvent seuls dans l'appartement de l'artiste. Elle se dévêt devant ses yeux étonnés. Il pose les mains sur son corps, mais se ressaisit : il vaut mieux éviter « toute complication sexuelle »...

Les années 1914-1916 sont riches en rencontres : Gibran fréquente les salons de la haute société new-yorkaise tenus par des femmes influentes. Il fait la connaissance de Rose O'Neill, artiste à succès qui lui fait son portrait, du maire de Newark, Thomas Raymond, de la poétesse américaine Amy Lowell et du fameux peintre symboliste Albert Ryder. Celui-ci vit dans la misère, et habite une chambre mal chauffée dans un bâtiment lépreux de la 16th Avenue. Il dort à même le sol ou sur trois chaises alignées et boit comme un trou pour oublier la femme qui l'a quitté. Les deux hommes sympathisent. Gibran lui fait son portrait et l'ajoute à son « Temple de l'Art » qui vient d'accueillir le dramaturge Percy Mac Kaye et la danseuse Ruth Saint Denis, dont les mouvements gracieux lui inspirent plus d'un dessin et, sans doute, cette parabole de *L'Errant* où il fait dire à son personnage : « L'âme du philosophe réside dans sa tête ; l'âme du poète se trouve dans son cœur... L'âme de la danseuse vit dans son corps tout entier. » C'est à cette époque aussi que Gibran est invité à plusieurs reprises par la *Poetry Society of America* qui compte, parmi ses membres fondateurs, Corinne Roosevelt Robinson, la sœur de celui qui, de 1901 à 1909, fut le président des Etats-Unis. Il choisit des extraits du *Madman* qu'il est en train d'écrire, et les lit devant une assistance attentive.

A l'automne 1916, Gibran fait une nouvelle rencontre, celle d'un homme qui lui consacra une biographie très controversée (parce que trop « humaine » et souvent romancée) et mourut centenaire. Cet homme, les Libanais le connaissent bien, est Mikhaïl Naïmeh. Originaire, comme Gibran, d'un village situé en haute montagne et constamment noyé sous la brume, Baskinta, Naïmeh a suivi un séminaire en Russie avant de se rendre aux Etats-Unis pour y faire des études de droit et de lettres. Qu'ont-ils en commun, hormis les origines ? Tous deux écrivent dans la revue *Al-Founoun,* tous deux croient en la réincarnation, tous deux militent pour la libération de leur pays : au sein du Comité des volontaires, Gibran a été nommé secrétaire de la correspondance anglaise ; Mikhaïl, secrétaire de la correspondance arabe. En faut-il davantage pour sceller une amitié ? Mais la guerre va bientôt séparer les nouveaux complices. Mikhaïl Naïmeh, alias « Micha », est envoyé avec le Corps expéditionnaire américain sur le front français. Il se retrouve à Bordeaux, puis dans les bois de l'Argonne. Rentré à New York sain et sauf, il n'oubliera jamais la douloureuse épreuve qu'il a vécue.

En décembre 1916, enfin, Gibran rencontre Rabindranath Tagore, le célèbre poète indien, couronné par le prix Nobel de littérature en 1913. « Il est beau à voir et il est agréable d'être en sa compagnie, écrit-il à Mary. Mais sa voix est décevante : elle manque de vigueur et se prête mal à la déclamation de ses poèmes qui, de ce fait, sonnent faux. » Trois ans après cette rencontre, un journaliste new-yorkais n'hésitera pas à établir un parallèle entre les deux hommes : « Tous les deux utilisent le style des paraboles dans leurs écrits et maîtrisent aussi bien l'anglais que leurs langues natales respectives. Et chacun d'eux est un artiste dans d'autres domaines que celui de la poésie. »

A la fin de l'année 1916, Gibran reçoit de Mary un petit morceau de météorite, en provenance de l'Arizona. Lui qui se passionne pour l'astronomie, – est-ce parce qu'elle le rapproche de Dieu ou parce qu'elle l'aide à démonter les mécanismes de l'univers ? –, est transporté de joie : « C'est le cadeau le plus magnifique que j'aie reçu de ma vie. Il nourrit mon imagination, fait voyager mes pensées dans l'espace et rend l'infini plus proche et moins étrange à mon âme... »

A mesure que la fin de la guerre approche, Gibran se concentre davantage sur l'écriture. En août, il rédige en arabe un conte intitulé *Satan* où il imagine une rencontre entre un prêtre du Liban-Nord nommé Semaan et le diable qui agonise. « Je suis le bâtisseur des couvents et des monastères sur les fondations de la peur, prétend Satan. Je construis les échoppes de vins et les maisons de débauche sur les fondations de la luxure... Si je cesse d'exister, la peur et le plaisir seront abolis de ce monde, et avec leur disparition, les désirs et les espoirs cesseront d'exister dans le cœur humain. La vie deviendra vide et froide, comme une harpe dont les cordes sont cassées. Je suis Satan l'éternel. » Soucieux de ne pas perdre ses privilèges, le père Semaan accepte de secourir le diable : « Tu dois vivre parce que si tu meurs et que les gens l'apprennent, ils n'auront plus peur de l'enfer, ils ne prieront plus, ils se vautreront dans le péché... Je sacrifierai ma haine de toi sur l'autel de mon amour pour l'homme », déclare-t-il pour se donner bonne conscience. Le texte, où se côtoient ironie et cynisme, fustige le clergé dont le pouvoir s'appuie sur la crainte que le Mal exerce sur les fidèles, et considère Satan comme une invention des hommes pour nommer « cet étrange pouvoir qui dirige les tempêtes vers nos maisons et apporte la peste sur nous [1] ». On n'est pas loin du conte de Herman Melville, *Le Marchand de paratonnerres*, où le

---

1. Ce texte a été publié dans *Les Tempêtes* et dans *Mon Liban, suivi de Satan*, traduction et préface d'Anne Juni, La Part commune, Rennes, 2000, p. 53 *sqq.*

narrateur dialogue avec un inquiétant commis voyageur qui « commerce avec les peurs des hommes »...

Gibran lui-même reviendra sur cette idée dans un manifeste intitulé *La Nouvelle Ere* [1] où il interroge ses frères :

« Etes-vous un chef religieux tissant pour son corps une toge avec la candeur du peuple, façonnant pour sa tête une couronne avec la simplicité de leurs cœurs et *prétendant haïr Satan pour vivre de ses bénéfices* ? Ou bien êtes-vous cet homme dévot et pieux qui voit dans la vertu de l'individu un fondement pour le progrès de la nation, et dans la quête des secrets de son âme une échelle vers l'Esprit universel ? Si vous êtes le premier, alors vous êtes un hérétique, un impie, même si vous jeûnez le jour et priez la nuit. Si vous êtes le second, alors vous êtes un lys blanc dans le jardin de la vérité... »

Sous l'œil vigilant de Mary Haskell, il compose également de nouveaux passages du futur *Prophète,* provisoirement intitulé *Les Conseils,* qui commence à prendre forme, et achève *Le Fou,* composé de trente-quatre paraboles et poèmes, comparables aux contes du poète soufi Farid Uddin Attar [2]. Mais où publier cette première œuvre en anglais ? Il envoie le manuscrit à trois éditeurs : tous le refusent sous prétexte que ce genre de littérature « ne se vend pas ». Mais la Providence fait parfois bien les choses : au cours d'un banquet organisé à l'occasion de la sortie du livre d'Oppenheim, *The Book of Self,* chez une jeune maison d'édition fondée par Alfred Knopf, Gibran obtient un rendez-vous avec celui-ci, grâce aux recommandations du poète Witter Bynner et de l'ambassadeur de France à Washington, Pierre de Lanux, dont il avait fait le portrait. Gibran est séduit par Knopf qui accepte

---

1. Publié dans le journal égyptien *Al-Hilal* du 1ᵉʳ avril 1921, ce texte capital sera repris dans *Merveilles et curiosités.*

2. Voir par exemple : « Salomon et la fourmi amoureuse » ou « La femme et le chien », in Farid Uddin Attar, *Le Livre divin,* Albin Michel, 1961, pp. 92 et 426. Voir aussi Attar, *Le Livre des Secrets,* les Deux Océans, 1985 et *Le Livre de l'Epreuve,* Fayard, 1981.

de le publier : « Plus je vois Alfred Knopf, plus je l'aime... Il n'est pas philanthrope. Il est honnête. Il ne laisse rien au hasard. »

A la mi-octobre de l'an 1918 paraît enfin *Le Fou*, accompagné de trois illustrations de l'auteur, et dédié, comme il se doit, à MEH. Pour encourager les ventes, l'éditeur distribue un prospectus où il affirme qu'« il n'est pas étonnant que Rodin ait beaucoup espéré de ce poète arabe. Car dans ses paraboles et poèmes que Gibran nous a donnés en anglais, il semble curieusement exprimer ce que Rodin réalisa dans le marbre et l'argile... Rodin comparait Gibran à William Blake ». Prêter à Rodin des paroles qu'il n'a jamais prononcées eût été risqué si l'illustre sculpteur était encore en vie. Mais il n'est plus là pour les démentir : il est mort en novembre 1917, et Gibran a tenu à saluer sa mémoire dans un poème intitulé *Maître de l'argile*.

L'ouvrage, dont certains textes, initialement écrits en arabe, ont été traduits en anglais par l'auteur et sa protectrice, raconte l'histoire d'un personnage sensible mais « différent », qui commence par nous apprendre comment il est devenu fou. « Dans ma folie, observe-t-il, j'ai trouvé la liberté et le salut à la fois. » Il sent qu'il est d'essence divine : il prend contact avec Dieu et Lui parle. En s'unissant avec Dieu et la nature, il consolide sa cohésion interne. Mais il n'oublie pas les hommes pour autant : il ne veut pas rompre les liens qui unissent le visible à l'invisible. Il observe le monde avec un regard neuf, ironique, et raille l'aveuglement de la justice, la sottise humaine, la vanité des discussions philosophiques... Le style de l'ensemble est sobre – la langue anglaise se prête merveilleusement à la concision –, le ton sarcastique, amer. *Le Fou* marque un tournant dans l'œuvre de Gibran, non seulement parce qu'il s'agit de son premier livre en anglais, mais parce que la violence et la rancœur qui caractérisaient ses premiers écrits cèdent ici la place à la contemplation et à l'élévation spirituelle. Bien que le livre donne parfois une impression d'incohérence, illustrée par la cohabitation d'un texte de circonstance comme « *Defeat* », écrit à la suite de la défaite de la Serbie en 1918, avec des morceaux spécialement destinés à figurer dans l'ouvrage, une critique de l'époque, Marguerite Wilkinson, le salue en ces termes élogieux : « Kahlil Gibran écrit des poèmes et des paraboles qui possèdent leur propre musique, une distinction, un charme naïf, et une symétrie structurelle fondée sur le symbole, le contraste, la répétition et le parallélisme… »

Gibran adresse un exemplaire du livre à May Ziadé qui le trouve sombre et cruel. Habitué aux éloges de sa correspondante, il lui répond en paraphrasant un verset de la Bible : « Quel est le mérite pour un homme d'obtenir l'approbation du monde entier s'il perd celle de Marie ? » Il envoie aussi l'ouvrage à Gertrude Barrie, son amante cachée. Pourquoi Gibran continue-t-il à dissimuler cette liaison ? Sans doute pour ne pas blesser Mary qui aurait mal accepté qu'il pût donner à une autre femme ce qu'elle n'avait pas su obtenir de lui, sans doute aussi parce que cette relation qui n'avait rien de platonique concordait mal avec son statut de « prophète ». Au vrai, Gibran eut un nombre invérifiable de relations secrètes, platoniques ou charnelles : Gertrude Stern, qu'il rencontra en 1930 et qui se considérait comme son dernier amour, Marie Qahwaji, Marie El-Khoury – qui, à partir de 1922, l'accueillit souvent chez elle, avec ou sans ses amis de la *Rabita* –, et bien d'autres encore. Helena Ghostine affirme, à l'instar de Micheline et de Charlotte, que Gibran fut « un homme à femmes » et raconte cette anecdote savoureuse qui en dit long sur le comportement de l'écrivain :

« Un jour, Gibran me demanda de lui acheter un parapluie. "Je compte l'offrir à Mariana", m'assura-t-il. Je fis le tour des magasins de la ville et lui choisis un parapluie très original, reconnaissable entre tous. Quelques semaines plus tard, je vis ce même parapluie entre les mains d'une femme que je ne connaissais pas. Je fis mine d'être intéressée par l'objet et l'interrogeai sur l'endroit où elle l'avait acheté. Elle me répondit en rougissant que son ami libanais le lui avait offert ! »

151

Ces aventures, Gibran les vécut dans la clandestinité, soit qu'il voulût préserver la réputation des femmes qu'il fréquentait, soit qu'il craignît de ternir l'image qu'il voulait donner de lui-même : celle d'un ascète détaché des contingences terrestres, celle d'un être supérieur qui « saisit l'amour dans l'esprit et non dans le corps »... Ce n'est que dans *Le Sable et l'Ecume,* paru quelques années plus tard, qu'il finira par concéder que « l'esprit le plus ailé ne peut échapper aux envies de la vie » !

Au mois de novembre de l'an 1918, l'Armistice est enfin conclu. Avec un enthousiasme débordant, Gibran écrit à Mary qui a fermé son école pour prendre en charge la Cambridge School : « C'est le jour le plus sacré depuis la nativité de Jésus ! »

11

« DE LA NATURE VERS L'INFINI... »

En mai 1919, Gibran publie aux éditions de la revue *Mir'at el Gharb* son sixième livre en arabe : *Les Processions*, agrémenté d'une introduction de l'éditeur, Nassib Arida, et de huit dessins. Il s'agit d'un long poème de deux cent trois vers, écrit sous forme de dialogue philosophique à deux voix : l'une, dégoûtée de ce monde, se moque des valeurs artificielles de la civilisation ; l'autre, plus optimiste, plus sereine, chante un hymne à la nature et à l'unicité de l'existence, illustrée par le *nay*, instrument rituel des soufis qui « dit les secrets cachés du Très-Haut » et symbolise l'âme qui aspire à retourner à la source divine dont elle a été séparée. « *Les Processions*, explique Gibran à Mary, représente les aspects de la vie selon la vision d'une personne double, formée d'un moi citadin et d'un soi spontané et ingénu, comme les jeunes bergers du Proche-Orient, c'est-à-dire l'homme qui chante la vie en harmonie avec elle-même sans analyser ou douter, ni débattre ou définir. » Comme dans *Le Fou*, l'auteur rompt avec les idées engagées de ses précédents livres en arabe : *Les Processions* est

155

une invite à la contemplation. Son expression simple, sincère, spontanée, délestée de tout archaïsme sans être franchement moderne (le poème est composé selon deux métriques de la prosodie arabe classique), va susciter les critiques des puristes comme Al-Aqqad et Omar Farroukh. Mais rien n'arrête Gibran dans sa volonté de briser les carcans : aussi bien au niveau des idées que sur le plan du style, il préfère l'anarchie au respect des conventions. Le mot « tradition » l'horripile. Alors, il donne libre cours à son imagination débridée, sans accorder trop d'importance aux contraintes de la prosodie ou aux règles d'orthographe qu'il lui arrive parfois d'ignorer dans sa correspondance en arabe…

A la fin de l'année 1919, l'artiste édite chez Knopf une collection picturale de vingt dessins intitulée : *Twenty Drawings*. En guise de préface, l'éditeur insère un texte de la critique d'art Alice Raphaël Eckstein, paru en mars 1917 dans la revue *The Seven Arts*, qui considère l'œuvre de Gibran « à la frontière de l'Orient et de l'Occident, du symbolisme et de l'idéalisme ». Le style de l'artiste séduit. Il peint comme il écrit, et écrit visuellement, comme s'il peignait. Comment renierait-il la peinture qui l'habite depuis l'enfance ? Pourquoi abandonner l'écriture qui lui permet d'exprimer ses idées en arabe et, depuis peu, en anglais ? Gibran va mener de pair ses deux carrières d'écrivain et de peintre sans jamais les dissocier l'une de l'autre : « Je passe ma vie à écrire et à dessiner, et le plaisir que me procurent ces deux arts dépasse tout autre plaisir, déclare-t-il. Ce feu qui nourrit mes sentiments voudrait se parer d'encre et de papier… » Chez lui, le monde pictural et le monde littéraire s'imbriquent et se confondent. On a pu dire que « Gibran peint avec les mots » : sa peinture apparaît en effet comme l'expression exacte de ses idées ; elle reflète bien ses inquiétudes métaphysiques et contient toujours un message. Attentif à la condition humaine, il ne représente que des personnages – réels ou imaginaires – et montre une grande prédilection pour le nu qui constitue, on l'a vu, « le symbole le plus vrai et le plus beau de la vie ».

Auprès de Fred Holland Day, Gibran découvre le symbolisme et subit tellement l'influence de son mentor qu'on relève des correspondances troublantes entre les clichés de celui-ci et les travaux de son élève : les photos de Day intitulées *Archer in the Woods* ou *Youth in rocky landscape* annoncent l'univers gibranien ; de même que les photos intitulées *Nude youth with lyre* et *Orpheus* s'apparentent à l'*Orphée* de Gibran. Enfin, le personnage qui figure dans *The Storm God* de Day et celui que le peintre place au cœur de *Storm* affichent, et ce n'est pas une coïncidence, la même posture.

Au vrai, en peinture, Gibran fut un autodidacte, même si, à Paris, il fréquenta brièvement l'Académie Julian et l'atelier de Marcel-Béronneau. En des termes imagés, un auteur l'a bien montré : « Gibran ne suivit pas un programme d'enseignement méthodique ou académique et ne fut jamais détenteur d'un quelconque diplôme... Tel un oiseau, il picorait où bon lui semblait pour ensuite s'élever vers les cimes de son monde spirituel et rêvé [1]. »

Très tôt pourtant, avant même son apprentissage en France, Gibran opta instinctivement pour un style : entre ses premiers dessins esquissés au Liban et ses derniers tableaux, il existe une parenté certaine, une continuité, comme si, à la différence de nombreux peintres connus, Gibran s'était tracé, d'emblée, une trajectoire précise qu'il s'était efforcé de suivre scrupuleusement tout en se perfectionnant. Dès 1908, à l'occasion d'un dîner chez Mary Haskell, il définit sa vision de l'art :

> « Certains croient que l'art est l'imitation de la nature ; or, la nature est si sublime qu'elle ne saurait être imitée. Si noble soit-il, l'art ne peut accomplir ne serait-ce qu'un des miracles de la nature. Et, d'ailleurs, à quoi bon imiter la nature puisqu'elle peut être ressentie par tous ceux qui sont doués de sens ?
> L'art consiste plutôt à comprendre la nature et à transmettre notre compréhension d'elle à ceux qui l'ignorent.

---

1. Cf. l'excellent ouvrage de Boulos Taouk, *La Personnalité de Gibran dans ses dimensions constitutives et existentielles*, II, p. 329.

La mission de l'art est de dégager l'esprit de l'arbre et non pas de dessiner un tronc, des branches et des arbres qui ressemblent à un arbre. Le but de l'art est de révéler la conscience de la mer et non pas de peindre des vagues écumeuses ou des eaux azurées. L'art est un pas effectué du connu visible vers l'inconnu secret, de la nature vers l'infini. »

Imperméable aux tendances artistiques de son temps – le cubisme, le surréalisme… –, Gibran préfère évoluer en marge des courants novateurs. Il renoue avec le symbolisme de William Blake qui, à n'en pas douter, a profondément marqué son œuvre : la bibliothèque de Gibran, conservée à Bécharré, comprend *Le Mariage du Ciel et de l'Enfer* de Blake et pas moins de quatre ouvrages consacrés à son œuvre, dont le livre de Lawrence Binyon, intitulé *The Drawings and Engravings of William Blake* et *The Art of William Blake* d'Elizabeth Luther (offert à Gibran par Mary Haskell !) ; et sa correspondance fait souvent référence au grand artiste anglais. Le 6 octobre 1915, il écrit à Mary Haskell : « Blake est l'homme-Dieu. Ses dessins sont jusqu'à présent les choses les plus profondes faites en anglais – et sa vision, mis à part ses poèmes et ses dessins, est des plus divines. » Lors de la première exposition de Gibran, au Harcourt Studios, en 1904, le critique du *Evening Transcript* relève qu'un des tableaux exposés « rappelle l'un des chefs-d'œuvre mystiques de William Blake ». La légende, on l'a vu, veut que Rodin ait dit à propos de Gibran qu'il est « le Blake du xxᵉ siècle », et Mary Haskell elle-même écrit à son protégé : « Blake est puissant. La voix de Dieu et le doigt de Dieu sont dans ce qu'il fait… Il semble réellement plus proche de toi que tous les autres… » « Proche » ? Mary Haskell ne se trompe pas : Blake fut pour Gibran plus qu'un inspirateur parmi tant d'autres (Jean Delville, Odilon Redon, Pierre Puvis de Chavannes – dont les peintures murales ornaient la Boston Public Library et dont il admirait la simplicité et la pureté –, Fernand Khnopff, Aubrey Beardsley, Edward Burne-Jones et les Préraphaélites…) : un véritable père spirituel. Qu'on se replonge, au hasard, dans *Pity, Whirlwind of lovers* ou *The House of Death*, on y retrouve les femmes ailées, les créatures pétrifiées, les corps contorsionnés, les personnages nus, les cadavres amoncelés... qui peuplent l'univers pictural de Gibran. Le *Queen Katherine's dream* (1825) de Blake rappelle les dessins de Gibran, avec ses femmes évanescentes, aériennes, aux mains ouvertes, drapées de toges... Le symbolisme expressionniste de Blake, son refus de l'imitation servile de la nature, son pouvoir de fascination onirique, le contenu mythique – voire mystique ! – de son art, sa vision d'une unité perdue à reconquérir qui invite l'homme à s'ouvrir à la plénitude du divin qu'il porte en lui, son esprit de révolte... se retrouvent chez Gibran qui, comme son aîné, dessinait rarement les corps humains d'après modèle, mais savait rendre leur forme avec précision grâce à son sens aigu de l'observation et à la puissance de son imagination visuelle – ce qui explique d'ailleurs que même pour les portraits (Posy, Sultana...), Gibran mémorisait les traits du visage et voyait mentalement, avec netteté, ce qu'il voulait dessiner. Mais à la différence du monde de Blake, celui de Gibran est plus serein, moins violent, moins perméable aux idées d'Enfer, de forces destructrices du Mal et d'Apocalypse qui obsédaient l'auteur du *Mariage du Ciel et de l'Enfer*. Aussi, pour Gibran, l'immanence du divin se révèle et s'accomplit dans la nature et non pas, comme chez Blake, dans l'imagination créatrice qu'il appelle « le génie poétique » et que Gibran, du reste, ne manque pas de célébrer. Car si, pour Blake, « *Where man is not, nature is barren* » (« Où l'homme n'est pas, la nature est stérile »), la nature, pour l'auteur du *Prophète*, est la porte de l'infini.

Eugène Carrière, lui aussi, exerça une grande influence sur l'œuvre de Gibran qui le considérait comme « le plus proche de [son] cœur ». Séduit par l'atmosphère brumeuse qui règne sur les peintures du Français, Gibran s'en inspira tant dans ses portraits (coïncidence étonnante : tous les deux firent le portrait du pamphlétaire Henri Rochefort !), que dans ses autres tableaux. Entre *Le Murmure du silence* de Gibran et *La mort de Gauguin* de Carrière, il existe une parenté certaine ; et les fameuses compositions du Français consacrées à la maternité (notamment *Deux figures enlacées* et *Mère et enfant*) ne sont pas sans rappeler les peintures et dessins de Gibran exécutés entre 1908 et 1918, dont une toile également intitulée *Mère et enfant*. « Une seule matière, une seule lumière, voilà ce qu'enseigne à l'artiste le fleuve qui va à la mer, l'infini de l'horizon, un univers sans limites, une seule humanité, une seule raison. Tous les éléments se rejoignent pour concourir à l'équilibre du monde. Tous les éléments d'humanité sont destinés à se rejoindre par la loi d'harmonie. » Cette pensée de Carrière, qui cherchait à « pénétrer l'homme du sentiment d'unité », Gibran y adhère totalement.

Au fond, si l'œuvre de Gibran s'illustre par une certaine continuité, il n'en reste pas moins qu'elle a suivi plusieurs étapes qu'il est difficile de bien délimiter tant que les tableaux qu'il nous a légués et qui, pour la plupart, ne portent ni date, ni titre, ni signature, n'auront pas été inventoriés une fois pour toutes avec précision.

La première phase (1896-1904) correspond à ses débuts d'artiste et comprend des dessins au crayon ou à l'encre, annonciateurs de l'œuvre future, dont certains servirent à illustrer des recueils de poèmes publiés par Day et ses amis. De cette période, on connaît, par exemple, un croquis représentant un « Amour ailé couché par terre sur le dos au milieu d'un champ de pavots » (l'image rappelle la femme couchée qui figure dans *Pity* de Blake) ; et d'autres dessins qui, déjà, sont imprégnés d'un symbolisme mystique.

Entre 1908 et 1910, à Paris, Gibran se familiarise avec la peinture à l'huile et signe des œuvres remarquées comme *L'Automne*, retenu pour le Salon du printemps 1910 au Grand Palais. Il excelle aussi dans le portrait et exécute une série de dessins au fusain consacrés aux artistes de son temps. Ces esquisses aux très fines hachures obliques, ces visages doux à la chevelure mal définie et sans détails, aux yeux mi-clos, penchés ou tournés de trois quarts vers la droite, rappellent les études de Léonard de Vinci (dont, par exemple, sa fameuse *Tête de femme*). Aussi la coexistence de plusieurs portraits dans un même tableau, comme *L'Aveugle, Quatre visages* ou encore *Trois faces surmontées de figures volantes et d'un ange*, est-elle fréquente dans les dessins du grand peintre italien qui, de toute évidence, a laissé des empreintes dans l'œuvre de Gibran.

Entre 1910 et 1914, s'ouvre une nouvelle période où l'œuvre gagne en netteté et en maîtrise. Gibran peint à l'huile ou dessine au fusain des œuvres marquées par des images symboliques récurrentes, peuplées de centaures (dix-sept tableaux au total), de personnages asexués, androgynes, parfois hermaphrodites, figés dans des postures contemplatives, recroquevillés sur eux-mêmes, enlacés, crucifiés, au milieu d'un décor qui évoque le monde au début du Paradis terrestre... Dans certains tableaux, l'influence de Rembrandt est perceptible : fond sombre, visages et mains fortement illuminés... En décembre 1914, à la suite de son exposition à la Montross Gallery, il déclare : « Tout mon être est orienté vers un commencement pétri de fraîcheur. Cette exposition est la fin d'un chapitre de ma vie. »

Entre 1914 et 1920, Gibran s'essaie à la technique du dessin au lavis, sans rien changer au fond de son œuvre. Les personnages deviennent plus aériens, plus transparents. Mais les formes sont moins précises, et les contours trop flous. Les figures sont esquissées et ombrées au crayon. Cette technique qui, en soi, comporte trop d'aléas chromatiques réussit moins à Gibran que la peinture à l'huile. De cette période datent une série de tableaux ayant pour thème la maternité – thème déjà abordé, mais différemment, durant les deux phases précédentes – qui rappelle les compositions de mère avec enfant d'Eugène Carrière.

En 1920, de l'aveu même de Gibran, « une période finit et une nouvelle commence ». Entre 1920 et 1923, ses aquarelles sont très travaillées. Les couleurs se décantent, se clarifient ; les dessins exécutés à la mine de plomb sur papier (*L'Esclave* ; *Le Monde divin*) se caractérisent par une architecture harmonieuse. C'est l'époque où il expose au *Women's City Club* de Boston et où il achève les illustrations destinées à accompagner le texte du *Prophète*.

La dernière phase couvre la période allant de 1923 à 1931, année de sa mort. Elle réunit des toiles plus sombres, où les personnages s'estompent pour laisser la place à des silhouettes fantomatiques. On sent l'angoisse qui étreint l'artiste. Est-ce nouveau ? Sur toute l'œuvre picturale de Gibran règne une grande tristesse, quand bien même l'espoir n'en est jamais tout à fait absent : têtes baissées, personnages écrasés, mères éplorées... Faut-il mettre cette mélancolie sur le compte du lyrisme romantique hérité de Fred Holland Day ? Dès sa première rencontre avec Gibran, Posy lui reproche d'être « triste ». Ce tempérament, exacerbé par l'exil et par les coups du sort qui l'ont accompagné, trouve son explication dans un passage des *Ailes brisées* : « La vie de celui que la mélancolie n'a pas conçu et qui n'a pas connu les contractions du désespoir... reste comme une page blanche dans le livre de l'existence. »

Ces considérations faites, une question mérite d'être posée : Gibran est-il un grand peintre ?

Certains prétendent que Gibran n'a pas innové, n'a pas su s'inscrire dans la modernité, qu'il s'est souvent répété, et qu'à la longue, ses cortèges de corps nus aux gestes théâtraux finissent par lasser ; d'autres critiquent sa technique, la construction de ses tableaux. En réalité, comme chez Blake, l'œuvre picturale de Gibran est intimement liée à ses écrits ; et si nombre de ses peintures illustrent ses livres, c'est sans doute pour mieux affirmer cette correspondance qui existe entre le mot et le dessin. Il n'est pas possible de juger la peinture de Gibran hors de sa pensée et de son œuvre écrite : elle fait partie d'un *tout*. Serait-ce faire injure à celui qui appelait à l'unité de toute la Création que de revendiquer l'unité de son œuvre littéraire et picturale ?

12

LE CERCLE DES POÈTES EXILÉS

Dans la nuit du 20 avril 1920, au cours d'une réunion organisée au domicile de Abdel-Massih Haddad, l'éditeur de la
revue *As-Sayeh*, les écrivains libanais et syriens de New York se
rendent à l'évidence : il faut réagir pour « sortir la littérature
arabe du bourbier, c'est-à-dire de la stagnation et de l'imitation
dans lesquelles elle s'est enlisée ». Il faut lui infuser un sang
nouveau. Les participants décident de fonder une organisation axée sur la modernité et destinée à rassembler les écrivains et unifier leurs efforts au service de la littérature arabe.
Gibran trouve l'idée excellente, et invite tous les membres fondateurs à se réunir chez lui une semaine plus tard.

Le 28, huit écrivains se retrouvent chez Gibran au 51, West
Tenth Street et fixent les buts de l'association qu'ils décident
de baptiser « *Ar Rabita el-Qalamiah* » ou : « La Ligue de la
Plume ». Cette entité, qui comptera dans ses rangs d'émi-
nents lettrés, comme Gibran, Amin Rihani, Mikhaïl Naïmeh,
Wadih Bahout, Rachid Ayoub, Elia Abou-Madi, Nassib Arida,
Nadra Haddad, Elias Atallah, William Catzeflis... se propose,

entre autres, de publier les œuvres de ses membres et celles d'autres auteurs arabes qui mériteraient d'être soutenus, et d'encourager les traductions en arabe des chefs-d'œuvre de la littérature mondiale. Les fondateurs élisent Gibran comme président, « Micha » comme conseiller et Catzeflis comme trésorier. Ils choisissent comme devise un verset du Hadith : « Combien sont merveilleux les trésors cachés sous le trône d'Allah que seuls les poètes peuvent révéler. »

Quel sort connut cette nouvelle association ? Ses membres se réunirent de façon plus ou moins régulière de 1920 jusqu'à la mort de Gibran qui en fut le véritable animateur. Ils publiè-rent de nombreux articles dans la revue *As-Sayeh* et, une fois l'an, un numéro spécial comportant, sous forme d'antho-logie, leurs contributions. *Ar Rabita* finit par devenir, grâce aux idées rebelles et iconoclastes qu'elle prônait, le symbole de la renaissance des lettres arabes...

Pour Gibran, la langue arabe n'a pas d'avenir si elle ne se libère pas des moules anciens et de « l'esclavage des phrases littéraires superficielles », si elle ne parvient pas à instaurer un véritable dialogue avec l'Occident et à intégrer l'influence de la civilisation européenne sans se laisser dominer par elle : « L'esprit de l'Occident, écrit-il, est un ami si nous prenons de lui ce qu'il nous convient, et un ennemi si nous nous mettons dans l'état qui lui convient. » C'est la pensée créatrice, « la volonté d'aller de l'avant », qui, à ses yeux, assurent la péren-nité d'une langue. En l'absence d'une telle pensée, « l'avenir de la langue arabe » – c'est le titre d'un de ses articles – appa-raît bien sombre : « Si la force de création s'assoupit, la langue cesse d'évoluer. Or, tout arrêt signifie régression, et la régression signifie mort et décrépitude. »

En août 1920, les éditions *Al-Hilal,* au Caire, font paraître un recueil réunissant 31 articles de Gibran parus dans différents journaux d'expression arabe. Le livre, éloquemment intitulé *Les Tempêtes,* est publié à l'initiative du directeur d'*Al-Hilal,* Emile Zaydan, entré en contact avec Gibran grâce à May Ziadé. Dans une lettre à celui qu'il appelle « Emile Effendi », Gibran se montre très soucieux du « corps du livre comme de son âme » : il donne à son éditeur toutes les indications nécessaires (format, caractères, calligraphie, mise en page...) pour que l'ouvrage paraisse sous une forme soignée – signe du respect qu'il avait pour le livre et pour ses lecteurs – et lui laisse toute latitude pour en arrêter le prix et fixer les droits d'auteur – preuve que Gibran, n'en déplaise à ses détracteurs, se désintéressait des questions matérielles [1]. Animé d'un puissant souffle de révolte, *Les Tempêtes* fustige les travers des Orientaux – leur attachement au passé et aux traditions archaïques –, préconise l'émancipation du mariage et rejette toutes les servitudes qui enchaînent l'humanité. Tout en prenant le parti des opprimés, Gibran refuse l'état de soumission et de faiblesse où ils se trouvent et, dans un élan nietzschéen, les appelle à aspirer à la puissance et à la grandeur ; tout en renouvelant sa foi en l'amour, il refuse que l'homme devienne l'esclave de ce sentiment.

Dans la foulée, quelques semaines plus tard, Gibran publie chez Knopf son deuxième livre en anglais : *Le Précurseur*, illustré par cinq de ses dessins. Comme dans *Le Fou*, il s'agit de paraboles et de contes imprégnés de sagesse et de mysticisme. Le précurseur que décrit l'auteur représente l'âme qui doit se surpasser, se libérer de ses désirs terrestres, pour atteindre l'Absolu :

« Nous avons toujours été nos propres précurseurs. Tout ce que nous avons récolté et tout ce que nous récolterons ne sont que des graines pour des champs encore non labourés. Nous sommes le champ et le laboureur, le moissonneur et la moisson. »

Dans *La Dernière Veillée*, le précurseur, « celui qui se dit écho d'une voix qui n'a pas encore été entendue », annonce la venue d'un amour plus grand :

« La nuit est finie, et nous, enfants de la nuit, devrons mourir quand l'aube fera irruption sur les collines ; et de nos cendres un amour plus fort naîtra. Il rira au soleil, et sera immortel. »

---

1. Barbara Young confirme le désintérêt de Gibran pour ses royalties et sa très grande générosité (*This Man from Lebanon*, p. 32).

Ce livre, moins cynique, moins violent que les précédents, prépare l'arrivée de l'œuvre maîtresse de son auteur : il annonce *Le Prophète.*

Le 1ᵉʳ septembre 1920, un événement d'une importance capitale survient au Liban. La France, qui a obtenu le Mandat sur la Syrie et le Liban et que Gibran, qui rend l'Angleterre responsable de toutes les intrigues au Moyen-Orient, jugeait plus apte à gouverner ces contrées que tout autre pays européen, proclame la création du « Grand Liban » comprenant l'ancien territoire du *moutassarifiat* libanais ainsi que Beyrouth, et les régions de la Béqaa, Tripoli, Sidon et Tyr. C'est à la Résidence des Pins que le fameux général Gouraud, entouré du patriarche maronite et du Grand Mufti, proclame la création de cet Etat dont le drapeau national est un pavillon tricolore portant un cèdre sur la partie blanche de l'emblème. Une bonne partie de la population libanaise salue cette décision historique. Gibran, lui, accueille la nouvelle avec circonspection. En novembre 1919 déjà, il avait émis des réserves quant à l'hégémonie des grandes puissances : « La justice internationale n'existe pas. Je ne veux certes pas perdre l'espoir dans les gouvernements. Mais il apparaît certain que le sort des petites nations se trouve toujours entre les mains égoïstes des nations plus puissantes. La guerre a engendré une plus grande prise de conscience chez les hommes, mais elle n'a pas créé un sens plus profond du droit et de la justice. Car la force continue à primer le droit. » Le 8 novembre, il publie dans *Al-Hilal* son fameux article : « Vous avez votre Liban et j'ai le mien » où, tout en affirmant son amour pour le Liban et ses enfants, il fustige les politiciens qui l'ont défiguré :

> « Vous avez votre Liban avec son dilemme. J'ai mon Liban avec sa beauté.
> Vous avez votre Liban avec tous les conflits qui y sévissent.
> J'ai mon Liban avec les rêves qui y vivent...
> Votre Liban est un problème international tiraillé par les ombres de la nuit. Mon Liban est fait de vallées

silencieuses et mystérieuses dont les versants recueillent le son des carillons et le frisson des ruisseaux...
Votre Liban est un échiquier entre un chef religieux et un chef militaire. Mon Liban est un temple que je visite dans mon esprit lorsque mon regard se lasse du visage de cette civilisation qui marche sur des roues...
Vous avez votre Liban avec ses communautés et ses partis. Mon Liban est fait de garçons qui gravissent les rochers et courent avec les ruisseaux...
Vous avez votre Liban, j'ai le mien. »

Indisposées par ce texte, les autorités en Syrie le suppriment de tous les numéros en circulation. Mais elles oublient de retirer de la table des matières le titre de l'article et le nom de son auteur, de sorte que cette censure ne passe pas inaperçue et attise la curiosité des lecteurs. « Je ne savais pas que la censure en Syrie était aussi négative, écrit Gibran au propriétaire du journal. Cela me fait rire et pleurer en même temps... »
Quelques mois plus tard, il récidivera avec une déclaration tout aussi virulente :

« Malheur à la nation qui se vêt et se nourrit de ce qu'elle n'a pas tissé ni semé, et qui se grise d'un vin non tiré de ses propres pressoirs...
Malheur à la nation qui, dans son sommeil, méprise l'oppression et, à son réveil, vénère la soumission...
Malheur à la nation dont chaque communauté revendique pour elle-même le nom de nation. »

Gibran, à cette époque, ne chôme pas : il collabore au magazine *The Dial* et travaille sans relâche sur le manuscrit du *Prophète* que son éditeur Alfred Knopf réclame avec insistance. Sa santé se détériore. Son cœur lui cause des soucis : « Tout est arrivé parce que mon cœur a perdu sa mesure et son rythme. Comme tu le sais, Mikhaïl, la mesure de ce cœur n'a jamais correspondu à la mesure et au rythme des autres cœurs », écrira-t-il à Micha. Un médecin diagnostique une dépression nerveuse provoquée par un excès de travail et un manque de nourriture, un désordre général du système, des palpitations qui atteignent cent quinze par minute. Sa seule distraction est la contemplation du ciel : il a acquis un téles-cope pour « observer l'infini », un peu comme Galilée qui, bien que taraudé par la douleur, ne se lassait pas de fouiller l'empyrée.

Le voyant dans cet état, ses amis le sortent de « L'Ermi-tage », pour un temps seulement, et l'emmènent à Cahoonzie, dans une ferme située au pied des monts Catskill dans l'Etat de New York. Cette escapade en compagnie de « Micha », Arida et Haddad est, pour lui, un vrai bonheur : pendant dix jours, les quatre compagnons se promènent dans la nature, boivent de l'*arak*, chantent et improvisent des poèmes. Ils prennent des photos que Gibran ne manquera pas de réclamer à Naïmeh avec humour : « Que sont devenus les clichés que nous avons pris à Cahoonzie ? Je te notifie par la présente que je veux un exemplaire de chacun d'eux. Si tu ne respectes pas mes droits, je t'intenterai deux procès : un devant le tribunal de l'amitié, l'autre devant celui d'Ahmad Pacha el-Jazzar ! »

Mais cette courte excursion ne suffit pas à revigorer le corps affaibli de l'artiste : de retour en ville, il est obligé de s'aliter. Il préfère rester à Boston, auprès de sa sœur Mariana, la fidèle Mariana, celle qui ne se maria jamais pour bien s'oc-cuper de lui.

C'est à cette époque que Mary reçoit une demande en mariage émanant du veuf de sa cousine qui vient de décéder. Son nom est Florance Jacob Minis. Il a soixante-neuf ans et a occupé le poste de président d'une importante compagnie ferroviaire. Mary n'est plus très jeune. Elle sait qu'elle ne peut plus rien espérer de son protégé, et redoute de finir ses jours dans la solitude. La perspective d'aller vivre à Savannah en Georgie dans un luxueux domaine auprès d'un homme certes âgé, mais courtois, ne la rebute guère. Elle finit par annon-cer à Gibran qu'elle a pris la décision de vivre avec Jacob. « La relation entre toi et moi est la chose la plus merveilleuse que j'aie connue dans ma vie. Elle est éternelle », lui répond l'artiste. Et d'ajouter : « Je suis heureux parce que tu es heureuse. » Mais Florance Jacob Minis est d'une jalousie maladive et voit en Gibran un rival : dès lors, les rencontres entre les deux complices se feront de moins en moins fréquentes.

Ironie du sort : c'est vers cette époque aussi que Gertrude Barrie lui apprend qu'elle a également décidé, à quarante et un ans, de se marier. L'heureux élu est un violoniste italien féru d'aviation, Hector Bazzinello. Sans doute attristé de voir son amie s'en aller, Gibran lui répète les mêmes paroles qu'il a adressées à Mary : « Tes amis sont heureux de te voir heureuse. » Comble du malheur : Josephine Peabody, « Posy », l'une de ses premières amours, décède à quarante-huit ans des suites d'une longue maladie. Seule, son amitié avec une jeune photographe nommée Mariita Giacometti, rencontrée par hasard en 1917, met un peu de baume sur son cœur. Elle a les yeux pétillants, un nez très prononcé, le menton allongé et un sourire charmeur, irrésistible. Gibran lui demande de poser pour lui : elle accepte. Il l'appelle *« sweet princess »*, se considère comme son « oncle » et lui adresse des lettres empreintes de tendresse où il l'encourage à « rêver ses rêves » et à bénir la vie. « J'ai oublié tous les artistes qui me prenaient pour modèle, à l'exception de Gibran », avouera-t-elle vers la fin de sa vie [1].

Gibran n'aspire plus qu'à terminer son *Prophète* et à revenir dans son pays natal. Mais un obstacle de taille l'empêche de rentrer : malgré le décès de son père, les créanciers de celui-ci continuent à traquer la famille. N'épargnant rien ni personne, appliquant le proverbe local : « Prends du failli ne serait-ce qu'une poignée de terre », ils ont décidé de poursuivre les héritiers de Khalil, à savoir Gibran lui-même et sa sœur Mariana, « de domicile inconnu », et mis aux enchères tous leurs biens ! Quatre annonces émanant du tribunal exécutif du *caza* de Batroun, publiées au Journal Officiel et

---

1. Née en 1903, Mariita Giacometti, devenue Lawson après son mariage et mère d'un garçon, visita le tombeau de Gibran, au Liban, dans les années 1970.

retrouvées dans les papiers des Archives nationales du Liban, permettent de vérifier cette triste réalité [1]. Mais Gibran reste confiant : « Que Dieu nous sauve tous les deux de la civilisation et des civilisés, confie-t-il à Micha. Nous reviendrons aux collines pures du Liban et à ses calmes vallées. Nous mangerons de ses herbes et de ses raisins. Nous coucherons dans ses champs, errerons avec ses troupeaux et veillerons au son des flûtes des bergers et au murmure de ses ruisseaux. » La nostalgie comme exutoire.

---

1. C'est grâce au concours de Mᵉ Hyam Mallat que nous avons pu avoir accès à ces annonces publiées au Journal Officiel (J.O. n° 429 du 16 avril 1912 ; n° 488 du 1ᵉʳ octobre 1912 ; n° 529 du 23 janvier 1913 et n° 601 du 12 août 1913).

13

LE PROPHÈTE

Le Prophète, Gibran l'a porté en lui vingt ans durant. Dès son plus jeune âge, il amorce l'ébauche de ce livre. Mais sa mère l'invite à mûrir son sujet avant de se lancer dans un projet aussi ambitieux. L'ouvrage change quatre fois de titre et, jusqu'en 1918, n'avance pas vraiment. Dans une lettre du 9 novembre, Gibran écrit à May Ziadé : « Quant au *Prophète*, c'est un livre que j'ai songé à écrire il y a un millier d'années, mais jusqu'à la fin de l'an dernier, je n'en avais pas mis un seul chapitre noir sur blanc. » L'artiste accorde en tout cas une grande importance à cette œuvre en gestation. Pour lui, ce livre représente sa « seconde naissance », son « premier baptême ». « *Le Prophète* est le plus grand pari de ma vie, écrit-il à Mary, un an plus tard. Toutes ces trente-six années se sont écoulées pour le mettre au monde… » Et d'ajouter, dans une autre lettre : « A présent, tout mon être est dans *Le Prophète*. Il doit être ma vie jusqu'à ce qu'il soit publié. Tout ce que j'ai fait auparavant est déjà derrière moi ; ce n'était qu'une période d'apprentissage… » De 1919 à 1923, Gibran consacre le plus clair de son temps à cette œuvre qu'il juge essentielle. Il se réunit avec Mary Haskell à plusieurs reprises, à Boston, New York ou Cambridge, pour retravailler son texte et procéder aux corrections qu'elle lui suggère : le jugement de la jeune femme est sûr ; il le réconforte. En 1923, considérant que son travail est suffisamment abouti, Gibran remet le manuscrit à son éditeur, Alfred Knopf, qui commençait à perdre patience. Le livre paraît enfin, en septembre 1923. A la demande de son auteur, il est vendu au prix de deux dollars vingt-cinq cents.

Le Prophète ressemble à un livre sacré. Son style, sa structure, sa tonalité ne sont pas étrangers à ceux de la Bible et, en particulier, à ceux des Evangiles : l'ouvrage, riche en images allusives, en paraboles, s'articule en versets ; des formules comme « En vérité… », « Mais moi je vous dis… » ; l'emploi, au début d'une phrase, des conjonctions « Et » et « Car » (« *For* » est couramment utilisé pour introduire une phrase et contribue à donner au texte une plus grande solennité), l'adoption d'une terminologie biblique (la femme infidèle, le pécheur…), et le recours à des phrases interrogatives qui induisent des affirmations (« Le remords n'est-il pas la justice administrée par cette même loi que vous prétendez servir ? »), accréditent cette idée, de même que s'impose, dans la prose poétique de son ami Amin Rihani, le rapprochement avec le style coranique. Le phénomène, dans l'œuvre gibranienne, n'est pas nouveau : dans ses écrits composés entre 1905 et 1908 abondent les allusions bibliques et les expressions tirées des Psaumes, du Cantique des Cantiques, de l'Ecclésiaste et du Livre de Job, et, dans *Les Esprits rebelles*, figurent plusieurs renvois au Nouveau Testament. De même, relève-t-on dans *Le Précurseur* des références très nettes à la Bible, comme l'image du pain et du vin, ou les expressions : « Sur la terre comme au ciel » et « En vérité, je vous le dis »…

Entre *Le Prophète* et *Ainsi parlait Zarathoustra* de Nietzsche on a également pu établir une parenté. Il est d'abord incontestable que Gibran a lu, avant la rédaction du *Prophète*, l'ouvrage du grand penseur allemand qu'il appréciait. Le 11 mai 1911, il écrit à Mary : « Je suis content que tu lises *Zarathoustra*. J'ai besoin de le lire avec toi en anglais. » Le 30 août 1913, il affirme : « Nietzsche a pris ses paroles de mon esprit. Il a cueilli le fruit de l'arbre vers lequel je me dirigeais... » A l'instar de Nietzsche, Gibran choisit pour porte-parole un sage qui, s'adressant à la foule, aborde les différentes questions qui intéressent l'auteur. Dans le livre de Nietzsche, Zarathoustra, après dix années de préparation dans la solitude des Alpes, éprouve le désir de faire don aux hommes du miel de sa sagesse et descend en ville. Chez Gibran, Al-Mustafa attend douze années le retour du navire qui doit le ramener à son île natale, puis descend la colline pour s'adresser, avant son départ, aux hommes et femmes de son pays. Les thèmes abordés par les deux « prophètes » sont quelquefois similaires : le mariage, les enfants, l'amitié, le don, la liberté, le crime, la mort..., et certaines images se retrouvent dans les deux œuvres, comme l'arc et la flèche, l'errant, le danseur ou le cerf. Mais le rapprochement s'arrête là : tandis que l'écriture nietzschéenne est, de l'avis des critiques, alourdie par un symbolisme pesant et par une éloquence emphatique, *Le Prophète* de Gibran est aérien, limpide, d'une simplicité déconcertante, animé par un souffle oriental qui ne faiblit jamais. « Nietzsche avait un esprit analytique, observe Gibran lui-même. Or l'esprit analytique en dit toujours trop. » Sur le plan des idées, les différences l'emportent, et de loin, sur les ressemblances : tandis que Nietzsche annonce que Dieu est mort (« Tous les dieux sont morts, ce que nous voulons à présent, c'est que le Surhumain vive »), Gibran ramène tout à Dieu ; tandis que Nietzsche prône la transmutation de toutes les valeurs afin de relayer l'humanité décadente par ce *Uebermensch*, Gibran nous appelle à aspirer à un « Moi géant » en ouvrant nos cœurs à l'amour et nous invite à un essor mystique vers le monde parfait. Chez Gibran, nulle trace de nihilisme : *Le Prophète* est un livre d'optimisme et d'espoir, attitude qui peut surprendre chez un écrivain dont la correspondance comporte des allusions incessantes à son mal-être et à ses problèmes de santé ou d'argent. « Nous, nous cherchons le spectre de l'espérance », écrit-il dans *Merveilles et curiosités*.

Aussi, Nietzsche est-il beaucoup plus proche de la philosophie – encore que cette philosophie ait été qualifiée de « lyrique » – que Gibran qui n'a jamais eu la prétention d'ériger ses idées en système comme il l'affirme lui-même dans une lettre à Mary Haskell datée de septembre 1914 : « Je n'explique pas, je ne débats pas. Les choses sont dites simplement, avec autorité. L'analyse ôte vie et saveur à un texte. » Enfin, la politique occupe une place importante chez Nietzsche qui plaide, dans *Ainsi parlait Zarathoustra*, en faveur d'une organisation sociale cruellement aristocratique et farouchement antiétatique, alors qu'elle est totalement absente du livre de Gibran.

Une autre parenté mérite enfin d'être relevée : on songe, en lisant *Le Prophète*, au *Siddhartha* de Hermann Hesse publié en 1922. Dans le cadre d'une Inde recréée à merveille, Hesse y condamne le monde de la puissance et de l'argent et, à travers une écriture sobre émaillée de dialogues, fait l'éloge de la vie contemplative : « Peu à peu se développait et mûrissait en Siddhartha la notion exacte de ce qu'est la sagesse proprement dite. Ce n'était somme toute qu'une prédisposition de l'âme, une capacité, un art mystérieux qui consistait à s'identifier à chaque instant de la vie avec l'idée de l'Unité, à sentir cette Unité partout, à s'en pénétrer comme les poumons de l'air qu'on respire. » Ces propos de Hesse, Gibran aurait pu les écrire. « Pour moi, il n'y a qu'une chose qui importe, c'est de pouvoir aimer le monde, de ne pas le mépriser, de ne le point haïr tout en ne me haïssant pas moi-même, de pouvoir unir dans mon amour, dans mon admiration et dans mon respect, tous les êtres de la terre sans m'en exclure. » Ces paroles de Siddhartha, Al-Mustafa aurait pu les prononcer !

On a pu reprocher au *Prophète* d'être plat, simpliste, imprégné de sentimentalisme, truffé de lieux communs. Il n'en est rien, et c'est ce qui explique, sans doute, que son succès ne se soit jamais démenti. Car le style du *Prophète* est fluide, coule de source. Avec poésie, Gibran nous délivre un message spirituel qui nous invite à l'épanouissement de soi et à une « plus profonde soif de vie ». Dans l'édition originale – l'édition anglaise –, le lecteur est littéralement subjugué par la cadence qui anime les versets de Gibran, et que les traductions, aussi bonnes soient-elles, ne restituent pas tout à fait :

> « *Say not, "I have found the truth", but rather, "I have found a truth."*
> *Say not, "I have found the path of the soul". Say rather, "I have met the soul walking upon my path."*
> *For the soul walks upon all paths.*
> *The soul walks not upon a line, neither does it grow like a reed.*
> *The soul unfolds itself, like a lotus of countless petals.* »

Dans *Le Prophète*, le sens des métaphores, allégories et symboles est mystérieux sans être cabalistique : le lecteur y cherche la « substantifique moelle » et l'assimile comme il l'entend. Pour Gibran, malgré le ton impératif adopté par Al-Mustafa, il ne s'agit pas d'assener des vérités intangibles : il faut « laisser au lecteur la possibilité d'avoir son mot à dire », écrit-il à Mary Haskell. « Je préfère vraiment la vérité qui est cachée à celle qui est apparente », ajoute-t-il dans une lettre à May Ziadé. Dans *Le Prophète*, son personnage avertit ses disciples :

> « Si mon discours vous semble vague, ne tentez pas de l'élucider. Vague et nébuleux est le commencement de toute chose ; l'aboutissement ne l'est pas. J'aimerais que vous vous souveniez de moi comme d'un commencement. »

Au fond, pour bien lire Gibran, il faut se doter de ce qu'il appelle « le troisième œil » ou encore « l'œil de l'œil », celui du cœur, qui permet de percer l'obscur, qui est « vision, clairvoyance, compréhension particulière des choses qui sont plus profondes que les profondeurs, plus hautes que les hauteurs ».

Mais que raconte *Le Prophète* que nous ne sachions déjà ? Avant son départ pour la « terre de sa remembrance », le prophète Al-Mustafa (nom arabe qui signifie l'élu, le bien-aimé de Dieu) répond aux questions que lui posent d'humbles citoyens (les Amoureux, les Père et Mère, les Prêtres, les

Magistrats, les Commerçants…) et, surtout, la voyante Al-Mitra, probablement inspirée de la divinité perse Mithra, symbole de la Lumière, médiatrice entre les hommes et la divinité suprême. En guise de testament, il leur dispense des leçons de vie, des recommandations empreintes d'une grande sagesse. A propos de l'amour, le Prophète s'exprime en ces termes :

« L'amour ne possède pas et ne saurait être possédé.
Car l'amour suffit à l'amour.

Lorsque vous aimez, ne dites pas : "Dieu est dans mon cœur", mais plutôt : "Je suis dans le cœur de Dieu."
Et ne croyez pas que vous puissiez diriger le chemin de l'amour car c'est l'amour qui, s'il vous en trouve digne, dirigera votre chemin. »

Evoquant le mariage, il prononce ces paroles qui témoignent d'une grande ouverture d'esprit et qui sont reprises chaque année par des milliers de couples à l'occasion de cérémonies nuptiales :

« Oui, vous serez ensemble, même dans la silencieuse mémoire de Dieu.
Mais laissez un vide dans votre communion.
Et que dansent entre vous les vents des cieux.
Aimez-vous l'un l'autre, mais ne faites pas de votre amour un esclavage.
Qu'il soit plutôt une mer mouvante entre les rives de vos âmes…
Demeurez ensemble, mais sans trop vous approcher de l'autre : Car les piliers du temple sont séparés,
Et ni le chêne ni le cyprès ne poussent à l'ombre l'un de l'autre. »

A propos des enfants, Al-Mustafa a ces mots :

« Vos enfants ne sont pas vos enfants.
Ils sont les fils et les filles du désir de la Vie pour elle-même.
Ils viennent par vous mais non de vous.
Et bien qu'ils soient avec vous, ils ne vous appartiennent pas.

Vous pouvez leur donner votre amour, mais pas vos pensées,
Car ils ont leurs propres pensées.
Vous pouvez loger leurs corps, mais pas leurs âmes,
Car leurs âmes habitent la maison de demain, que vous ne pouvez pas visiter, pas même dans vos rêves.
Vous pouvez tenter d'être comme eux, mais ne cherchez pas à les rendre semblables à vous.
Car la vie ne revient pas en arrière, ni ne s'attarde sur hier.
Vous êtes les arcs par qui vos enfants, telles des flèches vivantes, sont lancés.
L'Archer vise la cible sur le chemin de l'infini, et Il vous tend de toutes Ses forces pour que Ses flèches aillent vite et loin.
Quand la main de l'Archer vous tend, que ce soit pour votre plus grande joie,
Car de même qu'Il chérit la flèche qui s'élance, Il aime aussi l'arc qui est stable. »

Séduisant par la hardiesse de ses idées et par la simplicité de son expression, ce texte est connu dans le monde entier...
A propos du travail, Gibran sort des sentiers battus. Il fait dire à son Prophète :

« On vous a dit aussi que la vie est ténèbres, et dans votre lassitude vous vous faites l'écho de ce que vous avez entendu.
Moi je vous dis que la vie est certes ténèbres, si elle n'est accompagnée d'élan,
Que tout élan est aveugle, s'il n'est accompagné de connaissance,
Que toute connaissance est vaine, si elle n'est pas accompagnée de travail,
Que tout travail est vide, s'il n'est accompagné d'amour ;
Et que lorsque vous travaillez avec amour, vous vous liez à vous-mêmes, aux autres et à Dieu. »

De la même manière qu'il affirme que « la vie et la mort sont une, comme la mer et le fleuve sont un », Gibran soutient, à propos de la tristesse et de la joie, que les deux notions se complètent et se confondent – idée qui reviendra dans la parabole des deux chasseurs qui figure dans *L'Errant* :

> « Votre joie est votre tristesse sans masque.
> Et ce même puits d'où monte votre rire a souvent été rempli de vos larmes.
> Et comment en serait-il autrement ?
> Plus profondément la tristesse creusera votre être, plus il pourra contenir de joie. »

Et de la même façon qu'il considère que « le mal est le bien torturé par sa propre faim et sa propre soif », Gibran déclare, à propos du crime et du châtiment, que « l'homme debout et l'homme qui est tombé ne sont qu'un seul homme qui se tient dans le crépuscule entre la nuit de son être le plus misérable et le jour de son être divin ». Car tout est dans tout. Il s'agit de savoir équilibrer les choses (l'image de la balance revient plus d'une fois dans ses textes et fait même l'objet d'un dessin intitulé *Balance de l'Absolu*), les harmoniser, concilier et réconcilier les contraires, rechercher l'unité. N'est-ce pas lui qui, par la bouche du Prophète, appelle à « transformer la discorde et la rivalité des divers éléments en unité et mélodie » ?

S'exprimant au sujet de la liberté, le Prophète aurait pu en faire l'apologie. Il préfère nuancer son propos et met en garde contre les chaînes de la liberté, considérant celle-ci comme un moyen, et non comme une fin en soi :

> « Aux portes de la ville et dans vos foyers, je vous ai vus vous prosterner et adorer votre propre liberté,
> Comme des esclaves qui s'abaissent devant leur tyran et chantent ses louanges pendant qu'il les massacre.
> Oui, dans le bosquet du temple et à l'ombre de la forteresse, j'ai vu les plus libres d'entre vous porter leur liberté comme un joug et des menottes.
> Et mon cœur a saigné ; car vous ne serez libres que lorsque le désir même de liberté sera devenu pour vous

un harnais, et lorsque vous aurez cessé de parler d'elle comme d'un but et d'un accomplissement. »

A propos de la douleur, Gibran rappelle le fameux vers de Baudelaire : « Soyez béni mon Dieu qui donnez la souffrance comme un divin remède à nos impuretés » :

« C'est l'amère potion avec laquelle le médecin qui est en vous guérit votre moi malade.
Faites donc confiance au médecin et buvez son remède en silence et en paix ;
Car sa main, quoique lourde et rude, est guidée par la tendre main de l'Invisible,
Et la coupe qu'il vous offre, bien qu'elle vous brûle les lèvres, a été façonnée dans l'argile que le Potier a mouillée de Ses propres larmes sacrées. »

A propos de la connaissance, Gibran se montre ouvert, considérant « le soi » comme « une mer sans limites ni mesures ». Evoquant la mort, Al-Mustafa prononce des mots d'une rare beauté :

« Car qu'est-ce que mourir, sinon se tenir nu dans le vent et se fondre dans le soleil ?
Et qu'est-ce que cesser de respirer, sinon libérer son souffle de ses marées agitées pour qu'il s'élève, se répande et, délivré de toute contrainte, cherche Dieu ?
C'est seulement quand vous aurez bu à la rivière du silence que vous pourrez vraiment chanter.
Et quand vous aurez atteint le sommet de la montagne, alors vous pourrez commencer à grimper.
Et lorsque la terre appellera vos membres, alors vous pourrez vraiment danser. »

Enfin, au moment de partir, Al-Mustafa adresse à ses disciples un message plein d'espérance, une invite à croire en soi :

« Vous n'êtes pas enfermés dans vos corps ni emprisonnés dans des maisons ou des champs,
Ce qui est vous habite plus haut que la montagne et erre avec le vent...

C'est une chose libre, un esprit qui enveloppe la terre et se meut dans l'éther. »

*
* *

En 1931, Gibran écrira à propos du *Prophète* : « Ce petit livre a occupé toute ma vie. Je voulais être absolument sûr que chaque mot fût vraiment le meilleur que j'eusse à offrir. » Les efforts de Gibran n'auront pas été vains : soixante-dix ans après sa mort, *Le Prophète* est toujours lu par des millions de lecteurs. Son secret ? Ce petit livre apporte des réponses à des gens en quête d'une spiritualité qu'ils ne trouvent pas – ou ne savent plus trouver – aussi bien dans la société moderne, minée par le matérialisme, la superficialité et l'angoisse, que dans les religions institutionnalisées. Gibran a su condenser la sagesse de toutes les religions dans un ouvrage au message universel. Il n'appartenait à aucune école, n'aimait guère les « ismes ». Pour lui, la seule doctrine qui valait la peine d'être défendue était celle de la vie. A Barbara Young, il dit un jour : « *I am a life-ist...* » Chantre de la vie – puisque « la vie est l'espérance même » –, l'auteur du *Prophète* l'aura été jusqu'au bout !

14

« LE MOI AILÉ »

Dans toute son œuvre, et en particulier dans *Le Prophète*, Gibran évoque sans cesse Dieu : Il est « le Puissant », « le gardien de la nuit », « l'arbre céleste », l'Archer, le Potier, le « maître esprit de la terre »... Tout converge vers Lui : la prière, l'amour, la passion, la mort, le don, le travail... Peut-on pour autant affirmer avec Barbara Young que Gibran fut un « mystique chrétien [1] » ? Chrétien maronite élevé par une mère croyante et conservatrice, éduqué par le père Semaan, puis par les prêtres du Collège de la Sagesse, Gibran avait certes une connaissance approfondie de la religion chrétienne et de la Bible, toujours présente dans sa bibliothèque conservée au Musée de Bécharré. Mais cette connaissance ne s'accompagna jamais d'un respect pour l'Eglise. Pourquoi ? Sans doute ulcéré par le comportement de certains ecclésiastiques – leur autoritarisme coercitif, leur richesse en temps de

---

1. Barbara Young, *op. cit.*, p. 94.

disette –, très influencé par William Blake pour qui les prêtres
« ligotent avec des ronces les joies et les désirs » et par Amin
Rihani, qui ne manqua jamais d'appeler à la tolérance reli-
gieuse et à la « privatisation de la foi », et qui, en 1911 à New
York, publia son roman anticlérical intitulé *Le Livre de Khalid*,
Gibran prit pour cible le clergé dans la plupart de ses premiers écrits, comme *Youhanna le Fou* (dans *Les Nymphes des Vallées*) ou *Khalil l'Hérétique* (dans *Les Esprits rebelles*) : « Ils vendent
la prière et celui qui refuse d'en acheter est considéré comme
athée et mécréant, et le paradis lui est refusé. » Gibran établit
un parallèle entre la compassion et le désintéressement du
Christ et la rancune et la petitesse du clergé et, dans *Les Ailes
brisées*, n'hésite pas à comparer les prélats à des « pieuvres ».

A quel Dieu croit Gibran ? Le Dieu de Gibran est un Dieu
qui lui est propre. Sa mystique se trouve au confluent de plusieurs influences : le christianisme, l'islam, le soufisme, les
grandes religions de l'Inde, l'ésotérisme, la théosophie, la
psychologie jungienne… Elle trouve des échos dans les
œuvres de Nietzsche, Blake, Gide, Maeterlinck, Renan,
Emerson, Walt Whitman, qu'il connaissait bien, et peut-être
Hesse qu'il a probablement lu. Natif du Liban qui, en dépit
de vents contraires, représente la terre des syncrétismes religieux, un message de coexistence et, pour reprendre l'expression de Salah Stétié, une « promesse œcuménique de
paix », Gibran, rejetant fanatisme et confessionnalisme, tire
sa conviction d'une sorte de synthèse des différents messages
religieux dépouillés de tout élément dogmatique. Lui qui
affirme que « la religion est une croyance naturelle chez
l'homme », ne pouvait raisonnablement se cantonner dans
les limites d'une des trois grandes religions monothéistes.
N'est-ce pas lui qui écrit : « Votre doctrine dit : "le mosaïsme,
le brahmanisme, le bouddhisme, le christianisme, l'islam".
Ma doctrine dit : "Il n'y a qu'une seule religion abstraite et
absolue dont les manifestations sont multiples." » ? Et, ailleurs,
ce très beau passage : « Je t'aime mon frère qui que tu sois. Je
t'aime en prière dans ta mosquée, en dévotion dans ton église
ou en vénération dans ton temple. Car toi et moi sommes les
enfants d'une même religion : l'Esprit. Et les divers sentiers

religieux représentent les différents doigts de l'unique main aimante de l'Etre suprême. Et cette main se tend vers nous avec ardeur pour nous guider vers la plénitude de l'Ame. » De fait, comme l'explique Jad Hatem dans son analyse d'*Iram aux colonnes*, « la mystique de Gibran est méta-religieuse, en ce sens que les personnages cherchent à dépasser les points de vue réductionnistes de telle ou telle religion pour étreindre ce qu'elles auraient de commun ». Comment s'étonner, dès lors, que l'un des dessins de Gibran, exécuté en 1918, s'intitule : *Crucified on the Tower of Humanity and Religions* et réunisse le Christ, Bouddha et les grands sages de l'humanité ?

Aux yeux de Gibran, l'homme ne saurait se réduire à ce qu'il est. Il doit se surpasser, avancer avec un désir ardent (le *chawq* des Soufis) vers son moi-divin, aspirer à atteindre l'unité universelle où tout se réintègre dans un chant unique et total : cette unité n'est autre que Dieu. Ainsi, le moi, après avoir parcouru le chemin qui conduit à Dieu, se confond avec Lui. « L'homme, écrit-il dans *Les Dieux de la terre*, est un dieu qui s'élève lentement » : « *Man is God in slow arising.* » Le 30 janvier 1916, dans une lettre à Mary Haskell, il précise sa pensée : « Dieu désire que l'homme et la terre deviennent comme Lui et une part de Lui. Dieu croît à travers Son désir, et l'homme et la terre et tout ce qui est sur terre s'élèvent vers Dieu par la puissance du désir. »

Le Dieu de Gibran est immanent à l'humanité. Il est aussi immanent à la nature. Ainsi toute l'œuvre de Gibran baigne-t-elle dans une atmosphère panthéiste. Ses peintures, comme ses textes, font constamment référence à la mère-nature : *Femme découvrant la nature, La femme dans l'harmonie de la nature, L'homme et la symphonie de la nature, L'esprit de la Mère se manifestant dans la nature*... autant de toiles qui reflètent bien les idées de l'artiste qui choisit le Centaure comme symbole de la maternité de la nature (*Nature féminine et femme ; Nature penchée au-dessus de l'Homme, son Fils*...) et comme image de la double nature de l'homme : l'une bestiale, l'autre divine... « La nature n'est que la forme de Dieu, Son corps, confie-t-il à Mary Haskell. Et Dieu est ce que je chante et ce que je désire comprendre. » La beauté prend, chez lui, une dimension métaphysique : c'est une entité transcendante qui procure à l'homme le sens du vrai ; elle est l'expression sensible de l'invisible [1] : « Etes-vous perdu dans la vallée des croyances en conflit ?... Faites de la beauté votre religion... Car elle est l'œuvre visible, parfaite et manifeste de Dieu. »

Pour Gibran, Dieu est une évidence ; et la nature, l'expression sensible de Dieu qui se trouve derrière toutes les manifestations apparentes. Les êtres n'existent que par Lui. Toute communication avec Lui passe par la nature qui devient le moyen d'une expérience mystique où, à travers arbres, rivières, lumière, le moi déborde les frontières qui le séparent du « Tout » pour fusionner avec la totalité de l'existence dans un sentiment d'unité [2] :

> « Tout ce qui est dans la création existe en vous, et tout ce qui existe en vous est dans la création.
> Il n'est pas de frontière entre vous et les choses les plus proches, ni de distance entre vous et les choses les plus éloignées.
> Et toutes les choses, de la plus basse à la plus élevée, de la plus petite à la plus grande, sont en vous dans une parfaite égalité.
> Dans un atome, on trouve tous les éléments de la terre ; dans un mouvement de l'esprit se trouvent tous les mouvements des lois de l'existence ; dans une goutte d'eau se trouvent tous les secrets des océans sans rivages.
> Et dans un aspect de vous, il y a tous les aspects de l'existence. »

Cette vision des choses est séduisante. Elle coïncide tout à fait avec la définition du panthéisme proposée par Alain dans *Les Arts et les Dieux* : « C'est la religion de la nature, qui prend

---

1. Najib Zakka, « La métaphysique de Gibran », in *Littérature libanaise contemporaine*, USEK, 2000, pp. 428-430.
2. Souad Kharrat, *Gibran le prophète, Nietzsche le visionnaire*, Triptyque, 1993, p. 90.

pour objets de culte toutes les forces [...] qui sont alors considérées comme des manifestations d'un dieu unique, qui est le
monde. Panthéisme veut dire à la fois que tout est dieu et que
c'est le tout qui est dieu... », et rappelle ces vers du poète
soufi Rumi :

> « Pourquoi ne veux-tu pas
> Que la partie rejoigne le tout
> Le rayon la lumière ?
> Dans mon cœur, je contiens l'univers,
> Autour de moi, le monde me contient [1]. »

Aussi, un passage du *Fou* confirme-t-il cette conception
selon laquelle Dieu se trouverait dans toutes les manifestations de la vie : le narrateur se présente devant Dieu et lui
annonce humblement qu'il est son « esclave ». Dieu ne lui
répond pas. Il recommence et lui déclare qu'il est sa « création » : Dieu disparaît. Mille ans après, il récidive et se présente comme son « fils ». Dieu ne se manifeste pas. Le narrateur revient à la charge, gravit la montagne sacrée et
s'adresse à Dieu en ces termes :

> « O mon Dieu, mon but et mon accomplissement ; je
> suis ton hier, tu es mon demain. Je suis ta racine en
> terre, tu es ma fleur dans le ciel, et ensemble nous crois-
> sons devant le visage du soleil. »

Dieu réagit alors :

> « Dieu alors se pencha sur moi et, à mes oreilles, chu-
> chota des mots pleins de douceur. Et ainsi que la mer
> enveloppe le ruisseau qui s'écoule vers elle, il me ceignit.
> Quand je descendis dans les vallées et les plaines, Dieu
> y était également présent. »

A cheval entre panthéisme naturaliste et humanisme divini-
sant, ce texte résume bien la pensée de son auteur. Ici, Dieu et
l'homme s'unissent ; Dieu apparaît comme l'accomplissement

---

1. Cité in Chevalier, *op. cit.*, p. 64.

de l'homme, son « demain », « *his winged self* » : son « Moi ailé ».

Dans ce même ordre d'idées, Gibran, dans *Le Prophète*, met dans la bouche d'Al-Mustafa ces paroles révélatrices :

« Et si vous voulez connaître Dieu, ne vous présentez pas en déchiffreur d'énigmes.
Regardez plutôt autour de vous et vous Le verrez jouant avec vos enfants.
Examinez l'espace ; vous Le verrez marchant dans la nuée, étendant les bras dans l'éclair et descendant dans la pluie.
Vous Le verrez sourire dans les fleurs, puis Se lever et froisser les arbres de ses mains. »

Et dans *Le Jardin du Prophète*, il fait dire à son personnage :

« Je voudrais que vous sachiez que nous sommes le souffle et la fragrance de Dieu. Nous sommes Dieu dans la feuille, dans la fleur et souvent aussi dans le fruit. »

L'idée de fusion conduit Gibran à la métempsycose. Bien qu'il n'utilise jamais ce mot, il croit en la « continuité de la vie ». S'inspirant de la théorie hindoue de la réincarnation de l'âme en étapes purificatrices jusqu'à la fusion finale dans l'absolu, Gibran adopte, comme clé de la survie de l'âme, l'idée de l'éternel retour [1] : « N'oubliez pas que je reviendrai vers vous, écrit-il dans *Le Prophète*. Un petit instant, et mon désir recueillera poussière et écume pour un autre corps. Un petit instant, après un repos au-dessus du vent, et une autre femme m'enfantera. » Dans une lettre du 8 juin 1924, il déclare à Mary Haskell :

« Au fond de moi, il existe plusieurs expériences personnelles qui confirment que j'ai vécu plus d'une fois

---

1. Dans l'ouvrage de J. Head et S. L. Cranston : *Le Livre de la réincarnation*, Gibran est cité au nombre des auteurs qui ont envisagé ou admis la croyance – ou l'espérance – de la réincarnation (Le Livre de Poche, 1991, p. 470).

par le passé. Et je suis sûr et certain que je t'ai déjà connue, il y a des milliers d'années. »

A l'origine de cette idée ? Sans doute, la douleur d'avoir perdu son premier amour, Sultana Tabet, puis successivement sa sœur, son demi-frère, sa mère, son père, et l'espoir qu'ils revivront. La métempsycose, présente chez deux communautés religieuses au Liban et en Syrie, à savoir les Druzes et les Alaouites, aussi bien que dans les milieux mormons d'Amérique, constitue un moyen imaginaire d'éviter l'angoisse de la mort et offre la consolation d'une nouvelle vie, d'une survivance, d'un « éternel retour »… Et, aussi, l'influence de Nietzsche et celle de ses amis Mikhaïl Naïmeh et Charlotte Teller, la théosophe, qui partageaient cette idée, sans compter la « revanche » sociale que cette doctrine égalitaire promet aux démunis puisque les riches d'aujourd'hui seront les pauvres de demain, et vice versa. Omniprésent dans l'œuvre gibranienne, ce thème est abordé avec poésie dans *Merveilles et curiosités* :

> « O âme, qu'est-ce que la vie si ce n'est une nuit qui décline jusqu'à aboutir à l'aube, et l'aube perdure…
> O âme, si quelque fou te dit : "L'âme comme le corps périt, et ce qui passe de vie à trépas ne revient pas", rétorque-lui alors :
> Les fleurs meurent, mais les graines demeurent. Et c'est là où réside l'essence de l'éternité. »

Et Jésus dans tout cela ? Pour Gibran, Jésus de Nazareth n'est pas le Jésus des Chrétiens :

> « Tous les cent ans sur les collines du Liban,
> Jésus de Nazareth rencontre Jésus des Chrétiens.
> Après de longs entretiens dans l'un des jardins,
> Chacun prend son chemin.
> Et, chaque fois, Jésus de Nazareth dit à Jésus des Chrétiens :
> – Mon ami, je crains que nous ne puissions jamais, jamais nous entendre. »

Dans *Le Prophète*, Al-Mustafa serait l'ombre du Messie : le tableau qui figure en tête de l'édition originale du livre, et pour lequel Gibran avait un attachement particulier, n'évoque-t-il pas le visage du Christ ? Dans *Le Jardin du Prophète*, qui en est la suite, Al-Mustafa s'isole pendant quarante jours comme Jésus dans le désert après son baptême ; ses neuf disciples évoquent les douze apôtres ; et la retraite finale de sept jours rappelle la nuit sur le Mont des Oliviers... Dans *Jésus Fils de l'Homme*, Gibran aborde directement le sujet du Christ que son protecteur Fred Holland Day représentait dans ses photos et qu'il voyait lui-même si souvent en rêve. S'inspirant plus ou moins de la *Vie de Jésus* où le Messie apparaît comme « l'homme qui a fait faire à son espèce le plus grand pas vers le divin », il insiste sur la nature humaine de Jésus :

« Ce n'était pas un dieu, c'était un homme comme nous tous. Cependant en lui, la myrrhe de la terre s'élevait pour rencontrer l'encens du ciel. Dans ses paroles, nos balbutiements embrassaient le murmure de l'invisible et dans sa voix, nous entendions une mélodie insondable. Oui, Jésus était un homme et non un Dieu ; et c'est là que résident notre émerveillement et notre étonnement. »

Et ailleurs :

« Vous vous demandez à présent pourquoi certains d'entre nous l'appellent le Fils de l'Homme. Il désirait Lui-même être appelé ainsi, car la faim et la soif de l'Homme lui étaient familières, et Il était témoin de sa quête du moi supérieur [...]. Jésus le Galiléen vit dans mon cœur, l'Homme au-dessus de tous les hommes, Poète qui fait de nous tous des poètes, Esprit qui frappe à notre porte afin que nous nous levions et sortions à la rencontre de la vérité nue et sans fard... »

Gibran « s'émerveille » des principes d'amour et de liberté que Jésus préconisait et de la nouvelle table de valeurs qu'Il apportait :

« Jésus n'était pas un oiseau aux ailes brisées, mais une tempête en furie qui brisait de son souffle toutes les ailes tordues...
Jésus n'est pas venu pour apprendre aux hommes à bâtir des cathédrales colossales et des temples opulents à côté d'humbles chaumières et de masures froides et sombres. Mais il est venu pour faire du cœur de l'homme un temple, de son âme un autel, et de son esprit un prêtre. »

Gibran admet que Jésus est immortel. Mais ce n'est pas parce qu'Il est Dieu qu'Il est immortel : c'est parce qu'Il a su suivre le chemin qui conduit au divin. L'humanité a atteint, avec Jésus et par lui, sa manifestation divine la plus parfaite. En cela, Gibran annonce Nikos Kazantzakis qui, dans *La dernière tentation*, nous montre un Christ humain qui « marche sans fin vers les hauteurs » pour gagner le salut de l'humanité et qui, au terme d'une longue épreuve, accepte de s'unir à Dieu. La thèse de Gibran se démarque des dogmes de l'Eglise catholique puisqu'elle remet en cause la consubstantialité du Fils avec le Père et passe sous silence la rédemption et l'eucharistie. Mais elle n'est pas condamnable pour autant : grand connaisseur de la Bible, Gibran a de Jésus une opinion si haute et a écrit à Son propos des textes d'une telle beauté [1] qu'il est difficile de le regarder comme un hérétique ou un vulgaire « gourou » du *New Age* [2]. Barbara Young n'avait pas tort : Gibran était bel et bien un « mystique chrétien » – mais à sa façon.

---

1. Il est significatif de constater que nombre de religieux se penchent aujourd'hui avec bienveillance sur l'œuvre de Gibran : Youhanna Comeir, Khalil Chalfoun, Souad Kharrat... pour ne citer qu'eux.
2. Waterfield (*op. cit.*, p. 336) regarde Gibran comme un « inspirateur méconnu du Nouvel Age ». Cette thèse hardie conduirait à considérer toutes les œuvres syncrétiques comme inspiratrices de ce mouvement aux idées vagues !

15

« LAISSEZ-MOI DORMIR... »

L'accueil que la presse réserve au *Prophète* est, dans l'ensemble, enthousiaste. Gibran est soulagé : son livre précédent, *Merveilles et curiosités,* paru au Caire en 1923, qui réunit un certain nombre de ses articles en arabe – des éditoriaux à caractère sociopolitique (dont le fameux « Vous avez votre Liban… »), mais aussi des portraits littéraires, des paraboles et des maximes –, lui a valu les critiques acerbes du père jésuite Louis Cheikho qui n'a pas hésité à le traiter de « franc-maçon ». L'est-il vraiment ? Sa signature constituée de trois points à l'intérieur de trois cercles entrelacés ou d'un cercle comprenant la lettre « K » (en Maçonnerie, les trois points représentent le Delta) ; « l'œil divin » (symbole, chez les Maçons, du Grand Architecte de l'Univers) qu'on retrouve dans un de ses tableaux, intitulé *The divine world* ; l'entourage de Fred Holland Day, notamment le Camera Club, qui comptait nombre de francs-maçons et de théosophes ; la « Chaîne d'or » qu'il constitua selon le modèle maçonnique ; son amitié avec Amin Rihani qui était franc-maçon… ne sont-ils pas le signe d'une obédience à la franc-maçonnerie [1] ? Ces indices ne sont pas suffisants : Gibran était d'une liberté telle qu'il buvait à toutes les sources. Sans doute Cheikho a-t-il voulu fustiger, à travers cette accusation, le caractère « irréligieux » de certaines idées hardies avancées par Gibran… Pourtant, l'un des textes de *Merveilles et curiosités*, intitulé *Iram aux colonnes*, une pièce en un acte, est d'une grande spiritualité. Il raconte l'histoire d'un jeune écrivain, Nagib Rahmé, qui va à la recherche d'Amina al-Alaouié, « la djinn de la vallée », pour l'interroger sur la cité mythique d'Iram qu'elle a visitée. Amina enseigne à Nagib qu'il porte en lui toute la création et que rien ne périt jamais, et insiste sur l'importance de la foi et de l'imagination comme compléments aux facultés rationnelles :

> « Tout ce qui est fixé dans l'espace et dans le temps est état spirituel. Tout ce qui est visible et tout ce qui est intelligible sont états spirituels. Si tu fermes les yeux et que tu regardes dans les abysses de ton for intérieur, tu verras le monde dans son ensemble et dans ses détails… Tout ce qui est dans l'existence se trouve en ton essence et tout ce qui est en ton essence se trouve dans l'existence… Dans une seule goutte d'eau se trouvent tous les secrets des mers, et dans un seul atome, tous les éléments de la terre […]. La foi en une chose est connaissance de la chose. Le croyant voit avec sa vision spirituelle ce que les chercheurs et les érudits ne voient pas avec les yeux de leur tête, et il saisit par ses idées innées ce qu'ils ne peuvent comprendre par leurs idées acquises. Le croyant expérimente les saintes vérités avec des sens différents de ceux dont usent tous les hommes… »

Dans le *Chicago Evening Post*, *Le Prophète* est porté aux nues : « Les mots de Gibran font retentir dans nos oreilles le rythme

---

1. Un livre récent de G. Figuié, intitulé *Le point sur la franc-maçonnerie au Liban*, soutient, sans preuve, que Gibran a été initié en France dans une loge parisienne, qu'il appartenait à la franc-maçonnerie américaine, et qu'il était membre de la Loge de New York (p. 220). Voir aussi, en arabe, le livre de Khalil Kfoury, *Gibran et Naïmeh francs-maçons*, Beyrouth, 2002.

majestueux du livre de l'Ecclésiaste. Kahlil Gibran ne craint pas d'être un idéaliste dans une époque imprégnée de cynisme... Les vingt-huit chapitres de cette petite Bible sont recommandés à ceux qui sont plus que jamais prêts à recevoir la vérité. » Dans le *London Times,* un journaliste considère que l'ouvrage est la « synthèse de tout ce qu'il y a de meilleur dans la pensée chrétienne et la pensée bouddhiste ». Le bouche à oreille fonctionne : on s'arrache le livre. Gibran est invité partout, notamment chez les Roosevelt à Herkimer où il fait la connaissance de Franklin, futur président des Etats-Unis. Il rencontre des artistes importants comme les écrivains anglais Chesterton et Galsworthy (prix Nobel de littérature en 1932), et le peintre mexicain Jose Clemente Orozco. Bientôt, on lui propose de faire partie du comité directeur de la prestigieuse revue *New Orient Society* qui ambitionne de rapprocher l'Orient de l'Occident « dans un esprit de camaraderie intellectuelle et spirituelle » et qui compte Gandhi et Russell parmi ses collaborateurs.

Gibran est enfin célèbre. Mais ses tracas financiers ne se sont pas dissipés : il a investi son argent dans un projet immobilier qui s'est révélé perdant et a dû, une fois de plus, solliciter l'aide de Mary pour éponger ses dettes. Dans une lettre envoyée de Boston à une amie [1], il se montre très contrarié par cette affaire : « Tu aurais dû me voir, Helena, par ces jours étouffants, me déplacer d'un bureau d'avocat à un bureau commercial à un tribunal d'arbitrage, parlant une langue que je n'ai jamais parlée de ma vie... Si tu m'avais vu dans cette situation, tu aurais été pleine d'affection et de pitié à mon égard... »

A quarante-deux ans, Gibran se sent seul. La nostalgie ne le quitte pas : « Le jour viendra où je pourrai m'enfuir pour le Levant. Ma nostalgie pour mon pays va m'étrangler. S'il n'y avait cette cage dont j'ai consolidé de mes mains les barreaux, j'aurais pris le premier bateau en partance vers l'est. Mais qui donc peut quitter un édifice après avoir passé toute sa vie à en tailler les pierres et à les disposer, fût-ce même une prison ! Il ne pourrait ni ne voudrait s'en libérer un jour ! »

---

1. Lettre inédite à Helena Ghostine (sans date).

Dans une lettre à Félix Farès [1], il déclare :

« Il faut que je retourne au Liban ; je dois me retirer de cette civilisation qui avance sur des roues. Cependant, je crois qu'il est sage de ne pas quitter ce pays avant que j'aie brisé les liens et les chaînes qui m'y attachent. Et ces chaînes et ces liens sont nombreux ! Je voudrais retourner au Liban et y demeurer pour toujours. »

C'est à cette période délicate que deux nouvelles figures féminines font irruption dans sa vie : la première s'appelle Henrietta Boughton, alias Barbara Young, critique littéraire au *New York Times*. Elle a quatre ans de plus que Gibran (qui s'en étonnera ?) et un physique ingrat. Elle est l'auteur de plusieurs publications éditées sous différents pseudonymes. Au lendemain de la parution du *Prophète*, Barbara Young assiste à la lecture de passages de ce livre par le comédien Butler Davenport, dans l'enceinte de l'église anglicane Saint-Mark's In-the-Bouwerie. Subjuguée par cette œuvre, elle écrit à Gibran et demande à le rencontrer. Il l'invite chez lui. Le courant passe entre eux : sept ans durant, elle sera sa secrétaire dévouée, écrivant puis tapant à la machine ce qu'il lui dictait, arrangeant ses papiers et ses affaires. Après Mary, Barbara devient son ange gardien. Avec l'amour en moins.

La seconde femme à entrer dans la vie de l'artiste est Helena Ghostine. D'origine libanaise (native de Bzébdine, elle a émigré en 1917), elle possède parfaitement l'arabe, l'anglais et le français, appris à la Sorbonne. Tout en enseignant [2], elle collabore au journal *Al Houda* de New York, fondé par son oncle maternel, le fameux journaliste Naoum Moukarzel. Proche de l'administration américaine, elle accomplira, pendant la Seconde Guerre mondiale, une mission mal définie

---

1. Homme de lettres et journaliste libanais de mère française, Félix Farès (1882-1939) est l'auteur de la traduction en arabe de *Rolla* et de *La Confession d'un Enfant du siècle* de Musset, et de *Ainsi parlait Zarathoustra* de Nietzsche.

2. L'une des lettres que lui envoie Gibran, le 12 janvier 1926, porte l'adresse suivante : « *Benjamin School, 145, Riverside Drive, New York City.* »

qui lui vaudra une décoration. Gibran l'aurait rencontrée pour la première fois au siège du journal *Al Houda* où il se rendait à l'époque de la Grande Guerre [1]. Des lettres qu'il lui envoyait, il en reste quelques-unes, peu connues, qui nous renseignent sur la nature de leur relation. L'artiste admire Helena, l'appelle affectueusement « ma jolie fille » et réclame souvent sa présence :

> « J'ai beaucoup aimé tes deux photos, surtout la petite... Ah, si seulement je pouvais devenir l'ami d'une femme de chair, de sang et d'os, qui ressemble à cette photo superbe ! Qu'à cela ne tienne : je trouverai cette amie ou son ombre dans le monde des esprits entre les replis de l'éternité... Je serai à mon domicile de New York le mercredi 5 septembre à 20 heures... Et comme j'ai des choses importantes à te dire, j'ai jugé bon de te demander de me rendre visite ce soir-là. »

Trois ans après, un mercredi soir, il lui écrit de Boston où il se trouve :

> « Je suis rentré de New York et je suis toujours maigre, à bout de forces. Mais je désire te voir. Je souhaite que tu m'écrives ou que tu me téléphones. Je sais dans mon cœur que tu ne refuseras pas de visiter un homme blessé, meurtri, à l'âme triste... Je veux, de vive voix, te remercier et te faire part de ma gratitude pour tout ce que tu as montré à mon égard d'affection et d'amitié durant trois ans. »

Affaibli par la maladie, excédé par les « pèlerins » – le mot est de Barbara Young – qui viennent troubler sa quiétude, Gibran trouve auprès d'Helena, sa compatriote, la tranquillité. Il sait qu'il peut compter sur elle : dans une lettre du 6 janvier 1925, il la remercie du cadeau qu'elle lui a envoyé à l'occasion de son anniversaire : « Je te remercie parce que tu te souviens toujours de mon anniversaire... Chaque année, à

---

1. *Al Hayat* du 12 avril 2001 qui cite le témoignage d'Ibrahim Nasser Soueidan à propos d'Helena.

pareil jour, je sens, dans mon cœur, une soumission à la grande puissance qui a voulu que j'existe et qui m'a mis debout face au soleil, puis m'a doté d'amis fidèles et dévoués qui me font oublier mes tracas et la mélancolie de mon âme... » et, dans une lettre du 12 janvier 1926, il lui demande de l'aider à organiser une cérémonie en hommage à l'homme de lettres Sleiman Bustani [1], « cette belle et grande âme pure », qui vient de décéder à New York. Quand, à son tour, elle se montre abattue, il l'apostrophe sur un ton paternel : « Toi, ô Helena, tu te plains alors qu'il n'y a aucune raison de se plaindre, tu gémis à cause des ténèbres bien que tu sois assise dans la lumière du soleil, et tu en veux au temps alors que le temps est ton allié ! » Parmi les poèmes qu'il lui envoie, il en est un, daté du 20 mai 1923, qui en dit long sur son état d'esprit : « Ils ont enfoncé les clous dans la paume de ma main [...] et dans mon cœur, il est des chants que je ne mets en musique que si leurs mélodies se mêlent à mon sang... »

Au début de l'année 1926, Gibran publie chez Knopf un nouveau livre en anglais : *Le Sable et l'Ecume*, qui réunit 322 aphorismes écrits sur des bouts de papier rassemblés par Barbara, et comporte sept reproductions de ses dessins et de petites illustrations entre chaque maxime. A la manière du *Mariage du Ciel et de l'Enfer* de Blake ou du *Trésor des Humbles* de Maeterlinck, l'ouvrage propose des réflexions sur des thèmes très divers – l'amour, l'amitié, le désir, la mort, la liberté... Il révèle, par moments, une vision manichéenne du monde :

> « Comment puis-je perdre la foi en la justice de la vie, quand les rêves de ceux qui dorment dans des couches de plumes ne sont pas plus beaux que les rêves de ceux qui dorment à même la terre ? »

Ou bien :

> « Naissance et mort sont les deux visages les plus nobles du courage. »

---

1. Sleiman Bustani (1856-1925) est le traducteur en arabe de *L'Iliade* d'Homère.

Distillées dans un style simple et imagé, les aphorismes qui composent ce recueil laissent rarement indifférent.

Gibran travaille sans cesse. Même pendant les heures de relâche, il s'occupe en sculptant de petits objets en bois. Il collabore au magazine *The Syrian World*, dirigé par Salloum Moukarzel, qui accueille ses paraboles et ses aphorismes en anglais. C'est dans cette revue qu'il publie son fameux « Aux jeunes Américains d'origine syrienne », un discours où il invite ses compatriotes à être fiers de leur double appartenance orientale et occidentale, et à intégrer les idées nouvelles sans pour autant renier leurs racines. Quelque temps plus tard, « saisi d'une illumination éblouissante », il décide d'abandonner momentanément son projet de suite au *Prophète* pour amorcer un nouveau livre : *Jésus Fils de l'Homme*, qu'il se met à dicter à Barbara Young. Dix-huit mois durant, il travaillera sans relâche sur cet ouvrage qui chante son héros – le Christ – à travers soixante-dix personnages de la Bible et de la mythologie [1]. Certains d'entre eux aiment Jésus, d'autres le considèrent avec indifférence, curiosité ou hostilité. L'image qui se dégage de leurs témoignages est celle d'un être fascinant, à la fois supérieur, digne d'adoration, et proche des hommes, ses frères. Le 11 décembre 1927, jour de l'anniversaire de Mary, il lui envoie le manuscrit qu'il vient d'achever. Pour ne pas mécontenter son mari, celle-ci le lira en cachette, à l'heure où tout dort.

Le 12 octobre de l'année suivante, l'ouvrage paraît, accompagné de quatorze dessins de l'auteur. La presse américaine salue le livre : « L'anglais de Gibran est marqué par une beauté et une clarté telles qu'il pourrait servir d'inspiration à d'autres écrivains dont l'anglais est la langue natale », écrit le *Springfield Union*. Le chroniqueur du *Manchester Guardian* assure, quant à lui, que le lecteur « éprouve une très vive joie lorsqu'il découvre cet ouvrage d'une originalité particulière et d'une beauté sensuelle »...

---

1. Le procédé n'est pas sans rappeler *L'Anneau et le livre* de Robert Browning, série de monologues dramatiques dans lesquels plusieurs personnages exposent tour à tour la situation telle qu'elle leur apparaît.

C'est à cette époque que l'ancien camarade de classe de Gibran, Ayoub Tabet, le frère de Sultana, revenu au Liban, accède au poste de ministre de l'Intérieur et de la Santé, avant d'être nommé président de la République. Gibran prétend que Tabet lui aurait proposé un poste ministériel qu'il aurait refusé. Mais rien ne permet de confirmer cette information [1].

Comme ses douleurs ne se calment pas, Gibran se réfugie dans l'alcool. Malgré la Prohibition, il consomme une grande quantité d'*arak* et supplie sa sœur de charger un proche, Assaf George, de lui procurer de l'alcool dans les distilleries clandestines de Chinatown à Boston. « Ma soif pour le vin, écrit-il non sans ironie, dépasse celle de Noé, d'Abou Nouwas et de Debussy, ainsi que celle de Marlowe. » Mais ce remède est aussi poison : son ami Albert Ryder, son propre père, ne sont-ils pas morts d'avoir trop bu ? Qu'importe ! Le don de la soif n'a pas de prix :

> « Bois le vin de ta coupe seul, même s'il a le goût de ton sang et de tes larmes, et remercie la vie de t'accorder le don de la soif. Car, sans la soif, ton cœur n'est que le rivage d'une mer stérile, privée de chant et de marée. Bois ton vin seul et fais-le avec enthousiasme. Lève ta coupe bien haut, au-dessus de ta tête, et vide-la jusqu'à la lie, à la santé de ceux qui, eux aussi, boivent seuls. »

Gibran vieillit avant l'heure. Une photo de l'époque, ainsi qu'un film de quelques secondes qui le montre à sa table de travail, fumant une cigarette, révèlent la gravité de son état. Ses cheveux sont grisonnants, ses yeux cerclés de bistre ; son teint est blafard, son visage bouffi. Mais il tient bon. Dans une lettre à May Ziadé, il « poétise » même sa souffrance :

> « J'ai pris plaisir à être malade. Ce plaisir diffère dans ses effets de tout autre plaisir. J'ai trouvé une sorte de tran-quillité qui me fait adorer la maladie... Par la maladie,

---

1. Walid Aouad, *Les présidents libanais (1926-1943)*, Dar Al Afkar, Beyrouth, 2002, p. 288.

j'ai découvert une autre joie qui est plus importante et incommensurable. J'ai découvert que je suis plus proche des choses abstraites dans ma maladie que dans la santé. Lorsque je pose la tête sur l'oreiller, que je ferme les yeux et que je me détache du monde, je me sens voler comme un oiseau au-dessus des forêts et des vallées sereines, enveloppé dans un doux voile. Je me vois tout près de ceux que mon cœur a aimés, les visitant et leur parlant, mais sans colère, avec les mêmes sentiments qu'eux et les mêmes pensées. De temps à autre, ils posent les mains sur mon front pour me bénir. »

Quelques jours après le dîner que ses amis de la Ligue de la Plume organisent en son honneur à l'hôtel Mc Alpin à New York, le 5 janvier 1929, pour célébrer ses vingt-cinq ans au service des lettres arabes, il fait des examens médicaux qui révèlent une hypertrophie alarmante du foie. On le traite aux rayons et au radium, sans succès. On lui conseille de subir une opération ; il refuse, préférant laisser le destin exécuter sa volonté. « C'est un triste état, Micha, que de se trouver toujours entre la santé et la maladie, écrit-il à Naïmeh en mars 1929. Les médecins m'ont mis en garde contre le travail. Cependant, il n'y a rien que je puisse faire, sinon travailler... Que penserais-tu d'un livre composé de quatre histoires consacrées à la vie de Michel-Ange, de Shakespeare, de Spinoza et de Beethoven ? Que dirais-tu si je démontrais que leur réussite était l'inévitable résultat de la douleur, de l'ambition, de l'exil et de l'espoir qui anime le cœur humain ? »

Gibran sait désormais que ses jours sont comptés. « Savez-vous, écrit-il à Mary, que jamais je n'ai songé à ce départ que les mortels appellent la mort, sans trouver un étrange plaisir et ressentir une immense nostalgie ? » Il met de l'ordre dans ses affaires et, en date du 13 mars 1930, rédige son testament. Il laisse tout son argent liquide et ses quarante actions dans la Société immobilière qui possède son atelier du 51, West 10th Street à sa sœur Mariana. Il lègue à son village natal, Bécharré, les revenus de ses livres, et à Mary Haskell tous les dessins, toiles, livres, objets artistiques et autres qui se trouvent dans son atelier, tout en l'invitant, si elle le juge convenable, à les envoyer plus tard, entièrement ou en partie, dans son village. En juillet, il loue une maison au bord de la mer et y séjourne deux mois durant en compagnie de sa sœur. Il y travaillera sur un nouveau livre : *Le Derviche*, qui deviendra : *L'Errant.* Au retour, il écrit à May Ziadé :

> « Ma santé est pire maintenant qu'au début de l'été. Les longs mois que j'ai passés entre la mer et la campagne ont allongé la distance entre mon corps et mon esprit. Mais ce cœur étrange qui battait en tremblant plus de cent fois à la minute a maintenant ralenti son rythme... Je n'ai pas besoin des médecins et de leurs remèdes, ni de repos, ni de silence... j'ai besoin d'un remède spirituel – d'une main secourable pour apaiser mon esprit congestionné. J'ai besoin d'un vent violent qui puisse faire tomber mes fruits et mes feuilles... Je suis, May, un petit volcan dont l'ouverture s'est bouchée. »

Le 14 mars paraît chez Knopf son dernier livre publié de son vivant : *Les Dieux de la Terre*, un dialogue « socratique » entre trois dieux qui représentent les trois grandes tendances du cœur humain. Le premier est fatigué de vivre comme un dieu et aspire au néant ; le deuxième se plaît dans sa condition et profite du pouvoir qu'il exerce sur les hommes qui sont « le pain des dieux » ; le troisième, qui rejette l'indifférence de l'un et l'arrogance de l'autre, se réjouit de voir un couple chanter et danser au pied de la montagne, convaincu que le secret de l'existence réside dans la beauté et l'amour. C'est lui qui proclame :

> « Ceux qui sont conquis par l'amour [...]
> Se tiennent à présent enlacés avec pudeur.
> Pétale contre pétale, ils respirent le parfum sacré ;
> Ame contre âme, ils découvrent l'âme de la vie,
> Et sur leurs paupières, se dessine une prière. »

Dans ce petit livre d'une quarantaine de pages, qui porte l'empreinte de Blake et de l'*Hypérion* de Keats, se retrouve l'idée selon laquelle l'homme-chair doit se surpasser, évoluer vers l'homme-dieu pour s'unir à lui. Les dieux de la terre sont les êtres qui ont quitté « le sable pour la brume », ceux qui ont su dépasser les limites étroites de leur moi pour aspirer à l'absolu et s'y fondre : « La gloire de l'homme naît lorsque son souffle errant est aspiré par les lèvres sacrées des dieux... »

Il en envoie un exemplaire à Mary, accompagné du manuscrit de *L'Errant* : « Je ne sais pas si cela vous intéresse de lire ce manuscrit avec vos yeux clairvoyants et vos mains savantes avant qu'il ne soit livré à l'éditeur. Que Dieu vous aime. » Ce seront ses dernières paroles à celle qui n'a jamais cessé de « veiller sur son bonheur ».

Le 3 avril, Gibran achève les trois dessins destinés à illustrer *L'Errant* et, trois jours plus tard, reçoit la visite de son ami Abdel-Massih Haddad. Celui-ci reste coi en découvrant l'état de santé de Gibran : « Pour la première fois, j'ai entendu la mort dans sa voix et l'ai vue sur son visage. Nous avons parlé de différentes choses, mais il m'a surtout entretenu de notre Ligue de la Plume et de nos confrères. Il les a passés en revue et a mis son cœur à nu pour leur faire ses adieux. Quand il m'a demandé des nouvelles de ma famille, il a prononcé un à un les noms de mes enfants, m'a donné de l'argent et m'a chargé d'acheter un bouquet de fleurs en son nom à leur mère. » Le compte à rebours a commencé.

Le jeudi 9 avril, la concierge de Gibran, Anna Johansen, qui lui apportait chaque matin son petit déjeuner, le trouve agonisant. Elle alerte sa voisine de palier, Leonobel Jacobs, qui appelle immédiatement un médecin. Mais Gibran refuse d'être transporté à l'hôpital. Le lendemain matin, à 10 h 30, il perd connaissance. Barbara Young le conduit en catastrophe à l'hôpital Saint-Vincent. Sa sœur, ses cousins, Micha, le prêtre maronite Francis Wakim, et deux ou trois amies accourent. Mais il est trop tard : atteint d'une cirrhose du foie et d'un début de tuberculose dans l'un des poumons, Gibran a sombré dans un coma profond.

Le vendredi 10 avril 1931, à 22 h 55, l'auteur du *Prophète* rend son dernier soupir. A quarante-huit ans.

« O brume, brume ma sœur,
Nous sommes un maintenant, toi et moi...
Les murs sont tombés
Et les chaînes brisées.
Je m'élève vers toi, brume,
Et sur la mer, nous flotterons ensemble, jusqu'au lendemain de la vie,
L'aube alors te déposera, gouttelettes de rosée dans un jardin,
Et fera de moi un enfant blotti contre le sein d'une femme... »

Le 12, Mary Haskell reçoit un télégramme envoyé par Mariana :

```
Kahlil passed away Friday night. We take
him to Boston on Monday. Write 28, Forest
Hills, St Jamaica Plains Mass. ¹
```

Elle reste sans voix, brisée par le départ prématuré de cet être qu'elle chérissait. Comme Mariana, Barbara, May, Micha et tant d'autres, elle pleure la disparition de son ami et protégé. Dans un poème en prose intitulé *La beauté de la mort*, Gibran les avait pourtant prévenus :

« Laissez-moi dormir, mon âme est ivre d'amour.
Laissez-moi sommeiller, mon esprit est repu de nuits et de jours...
N'inondez pas ma poitrine de lamentations et de sanglots ; dessinez plutôt sur elle le symbole de l'amour et le signe de la joie...
Ne parlez pas de mon départ avec des larmes dans la voix ; fermez plutôt les yeux et vous me verrez parmi vous, aujourd'hui et demain ! »

---

1. « Kahlil est mort vendredi soir. Nous le transportons à Boston lundi. Ecrire au 28, Forest Hill, St Jamaica Plains Mass. »

16

APRÈS LA MORT

« Un Prophète est mort », titre le *New York Sun*. Le corps de Gibran est transporté jusqu'à l'Universal Funeral Parlor situé dans Lexington Avenue, où il est exposé pendant deux jours. Le lundi 13 avril, il est transféré à Boston, escorté des membres de la *Rabita* auxquels se joint bientôt Mary – qui ne les connaît pas puisque Gibran, pour ne pas officialiser leur relation, n'a jamais jugé bon de la présenter à ses amis. Le lendemain, un service funèbre est prononcé en l'Eglise Notre-Dame des Cèdres par l'un des rares prêtres à avoir eu grâce aux yeux du défunt : Mgr Estephan Doueihy, son voisin et conseiller. Après la cérémonie, le cercueil est provisoirement déposé au cimetière de Monte Benedict, dans la banlieue de Boston, là où reposent sa mère, sa sœur et son demi-frère. En guise d'adieu au disparu, plusieurs cérémonies sont aussitôt organisées à New York, Buenos Aires et São Paulo où se trouve une importante communauté libanaise. Peu après, répondant à la demande de Mary Haskell qui n'a pas oublié la promesse faite à son protégé en août 1913, Mariana donne son accord pour que le corps du défunt soit transféré à Bécharré.

Le 23 juillet 1931, sous les yeux d'un grand nombre de parents et d'amis, Gibran, qui repose dans un cercueil enveloppé des deux drapeaux libanais et américain [1], quitte le Nouveau Monde à bord du navire *Sinaia*. Le jeudi 20 août 1931, il arrive à Beyrouth. L'accueil que la population locale lui réserve est sans précédent. Une délégation officielle, comprenant un délégué du haut-commissaire français, le commandant de Maurapas, et un délégué de la Marine française, l'attend sur le quai. La dépouille est accueillie par l'archevêque Ignace Mobarak et exposée durant une journée dans la Cathédrale Saint-Georges. Après une cérémonie donnée au Grand Théâtre en hommage au défunt, en présence du chef de l'Etat, Charles Debbas, le cercueil recouvert de rameaux est transporté de village en village jusqu'à Bécharré, escorté par une foule considérable. D'après un journaliste présent sur place, l'arrivée au bourg « ressemblait davantage à une entrée triomphale qu'à des funérailles. Les sonneries des cloches et l'atmosphère générale de fierté accentuaient cette impression [2]... ».

Le 10 janvier 1932, le cercueil en bois de cèdre est enfin déposé dans une grotte creusée à même le roc, à l'intérieur du monastère de Mar Sarkis que Mariana a acheté à la demande de son frère, et qui abrite aujourd'hui le Musée Gibran. Tout près de sa dernière demeure, dans sa chambre reconstituée où trône un lit étonnamment petit, un tapis mural représentant le Christ, les chevalets du peintre et quelques bibelots ramenés de « L'Ermitage », une inscription a été gravée sur une plaque en bois :

« Un mot que je veux voir écrit sur ma tombe : je suis vivant comme vous et je suis maintenant à vos côtés. Fermez les yeux, regardez autour de vous, vous me verrez... »

---

1. Gibran n'a pourtant jamais obtenu la citoyenneté américaine.
2. Le déroulement des cérémonies est rapporté en détail par Habib Massoud, *Gibran vivant et mort*, éd. Rihani, 2ᵉ éd., 1966, p. 537 *sqq.*

Jusqu'au bout, chez Gibran, cette négation de la mort, pour faire mentir le destin et venger ceux qui sont partis avant lui...

Pendant ce temps, aux Etats-Unis, les tiraillements commencent : Barbara Young fait l'inventaire de l'œuvre de Gibran et songe à détruire les lettres que celui-ci échangeait avec Mary Haskell (dont elle ignorait l'existence !) sous prétexte qu'elles ternissent l'image de l'écrivain. Mary parvient à sauver *in extremis* la correspondance qui la concerne, mais elle ne peut rien contre les ingérences de Barbara dans l'œuvre de son ami : elle vit loin de New York et doit veiller sur son époux malade. Elle décédera le 9 octobre 1964, à l'âge de 89 ans, après avoir vécu ses cinq dernières années dans un hôpital et distribué tous ses biens, laissant pour la postérité sa correspondance avec Gibran et son journal, sans lesquels tout un pan de la vie de l'artiste n'aurait jamais été connu.

Barbara va gérer, tant bien que mal, le patrimoine de Gibran. *L'Errant* et *Le Jardin du Prophète* subissent, sous sa plume, de profondes modifications. Elle prend Micha en grippe, empêche les amis libanais de Gibran, notamment les membres de la *Rabita*, de consulter les archives de l'artiste, exige des sommes exorbitantes pour les tableaux du défunt... et s'approprie elle-même un certain nombre de toiles. Après avoir entrepris en 1939 un pèlerinage à Bécharré sur les traces du « prophète », elle lui consacre une biographie idolâtre et romancée ayant pour titre : *This Man from Lebanon*.

Quant à Mariana, elle conteste bientôt la validité du testament de son propre frère, mais finit par perdre son procès. En 1968, minée par la maladie, elle se résigne à aller vivre dans une maison de repos. C'est là qu'elle s'éteint, le 28 mars 1972, à l'âge de 88 ans.

Comme pour confirmer qu'il n'est jamais parti, Gibran nous donne à lire, de temps en temps, un texte inédit : publié à titre posthume en 1932, *L'Errant* raconte, à travers de courtes paraboles, l'errance du penseur à travers ses regrets, et se situe dans le prolongement du *Fou* et du *Précurseur*. Sur un ton tantôt ironique, tantôt désabusé, l'auteur y aborde tous les thèmes qui lui sont chers : l'amour, la vérité, la nature, Dieu... Dans l'une des paraboles, intitulée « Le Prophète ermite », Gibran raconte l'histoire d'un prophète qui prêche le don et le partage. Un jour, trois hommes viennent dans son « ermitage » (l'allusion n'est pas innocente) et lui demandent de distribuer ses richesses. Or, le prophète ne possède rien. Alors les hommes le considèrent avec mépris et lui disent : « O toi l'escroc, toi l'imposteur ! Tu enseignes et prêches ce que toi-même tu ne pratiques pas ! » Hanté par le désir d'être à la hauteur de l'image que son œuvre reflète ou que les autres se font de lui, Gibran exorcise ici sa hantise. Mikhaïl Naïmeh affirme qu'il lui aurait confié un jour : « *I am a false alarm* » (« Je suis une fausse alarme »). La parabole du « Prophète ermite » vient préciser cette pensée, sans doute émise dans un moment de doute : quoi qu'il fasse, un prophète est toujours mis en accusation, soupçonné d'imposture. Gibran, au fond, ne s'est jamais érigé en parangon de vertu. Toute son œuvre montre qu'il a conscience de ses propres faiblesses (dans le texte « Amour », il parle de « mon moi faible ») et qu'il ne se place pas au-dessus des autres : à l'instar du Précurseur, Al-Mustafa ne considère-t-il pas ses disciples comme ses « frères » ?

En 1934, *Le Jardin du Prophète* est publié, qui constitue la suite du *Prophète* et relate l'arrivée d'Al-Mustafa dans son île. Au moment de la mort de Gibran, le livre était en chantier, mais « le fil directeur était encore perdu » au dire de Barbara Young qui se permit d'y ajouter des passages que l'écrivain destinait peut-être à un autre usage. Alors que, dans *Le Prophète,* Gibran aborde des sujets essentiellement terrestres et fonde ses vingt-cinq discours sur des assises morales, il soulève ici trois grandes questions métaphysiques : Dieu, l'Etre et la Mort. Al-Mustafa déclare notamment à ses disciples :

« Vous êtes esprits bien que vous vous déplaciez dans des corps ; et, comme l'huile qui brûle dans l'obscurité, vous êtes des flammes bien que contenues dans des lampes.

Si vous n'étiez rien d'autre que des corps, alors le fait que je me tienne devant vous et parle ne serait que vacuité, tout comme le mort appelant le mort. Mais il n'en est pas ainsi. Et cette immortalité en vous est libre, de jour comme de nuit, et ne peut être enfermée, ni enchaînée, car telle est la volonté du Tout-Puissant. Vous êtes Son souffle tout comme le vent qui ne peut être attrapé et mis en cage. Et je suis aussi le souffle de Son souffle... »

La même année paraît en arabe *Le Roi et le berger*, une courte pièce de théâtre qui raconte l'histoire d'un roi devenu berger pour vivre au milieu de ses forêts et de ses prairies. C'est Naïmeh qui, le premier, reproduisit la pièce dans la biographie qu'il consacra à Gibran – biographie qui ne manqua pas de susciter des réactions outrées de la part des amis de l'artiste, dont Amin Rihani, en raison de certaines insinuations que Micha avait jugé bon d'introduire pour donner une dimension humaine à son personnage, devenu mythique de son vivant même.

En 1973, enfin, l'un des parents de l'artiste, prénommé Kahlil comme lui, publie *Lazare et sa bien-aimée*, une pièce en un seul acte retrouvée dans les manuscrits de l'écrivain conservés par Mariana, à laquelle viendra s'ajouter, en 1981, une autre pièce inconnue, intitulée *L'Aveugle*. Sans doute inspiré par Blake, auteur d'un tableau intitulé *Lazarus*, Gibran essaie d'imaginer l'état d'esprit de Lazare au lendemain de sa résurrection. Pour lui, Lazare est le seul homme à avoir connu deux fois la vie, deux fois la mort et deux fois l'éternité. A ses yeux, ce personnage ne voulait pas revenir à la vie : il était heureux auprès de sa bien-aimée céleste (une fois encore, comme chez les soufis, amour terrestre et amour divin se confondent), « dans le cœur même de Dieu ». Convaincu d'avoir été sacrifié – tout comme Jésus s'est sacrifié lui-même –, il se révolte contre l'acte de son Maître : « Pourquoi devrais-je être le seul d'entre tous les bergers à être reconduit au désert après les pâturages verdoyants ? se demande-t-il avec colère et amertume. Jésus de Nazareth, dis-moi maintenant, pourquoi m'as-tu fait cela ? [...] Pourquoi m'as-tu rappelé à ce monde alors que tu savais que tu allais le quitter ? Pourquoi m'as-tu rappelé du cœur vivant de l'éternité à ce calvaire ? » Mais il fallait un miracle : « Le Maître t'a ramené à nous pour que nous sachions qu'il n'est de voile entre la vie et la mort, lui dit Marie. Tu ne vois pas que tu es un témoin vivant de l'immortalité ? Ne vois-tu pas comment une seule parole prononcée avec amour peut rassembler les éléments dispersés par une illusion appelée la mort ? »

Dans son livre sur Gibran, Barbara Young publie enfin, pour la première fois, quelques textes de l'écrivain, comme *Le Poète aveugle*, *Je suis prêt à partir* et *Jésus frappant à la porte du ciel*. Quant au Musée Gibran, il conserve nombre de textes inédits, qui comportent des réflexions édifiantes sur l'art, la connaissance et la beauté, la religion et le fanatisme...

Toutes ces publications posthumes, ces inédits qu'on exhume, n'occultent pas cette question : Gibran est-il l'homme d'un seul livre ? Sans doute pas, puisque son œuvre en arabe et ses ouvrages en anglais recèlent des textes de toute beauté. Et quand bien même Gibran serait l'homme d'un seul livre, quel mal y aurait-il à cela ? Lui-même n'a-t-il pas écrit à sa bien-aimée Mary Haskell, à la fin de sa vie : « Je suis venu au monde pour écrire un livre, un seul petit livre » ?

Au fond, Gibran est plus qu'un écrivain : c'est un « cas », un « état ». Sa vie durant, assoiffé de liberté – liberté politique, sociale, métaphysique –, animé d'un puissant souffle de révolte (« La vie sans rébellion ressemble aux saisons sans printemps dans le désert », affirmait-il) et d'un sens profond de l'humain, il a dénoncé avec vigueur l'injustice et l'oppression, et défendu sans relâche les droits de la femme en Orient :

> « Etes-vous un mari qui se permet de faire ce qu'il interdit à sa femme, qui vit dans l'indolence en gardant sur lui les clés de la prison où elle se trouve, se gavant de sa

nourriture favorite, tandis qu'elle reste assise, seule, devant une assiette vide ? Ou bien êtes-vous celui qui n'entreprend rien qui ne soit fait main dans la main avec sa compagne, ne décide rien non plus sans avoir sollicité ses idées et son avis, et qui partage avec elle le bonheur et le succès ? Si vous êtes le premier, vous êtes un survivant des tribus anciennes qui vivaient dans les cavernes et s'habillaient de peaux de bêtes. Si vous êtes le second, alors vous êtes à l'avant-garde d'une nation qui marche au point du jour vers le zénith de la justice et de la probité [1]... »

Habité par une inspiration qu'il ne serait pas exagéré de qualifier de « divine », Gibran a prêché l'amour, la fraternité et l'espoir, devenant ainsi, pour beaucoup, un véritable maître spirituel. A la littérature arabe, il a apporté un sang neuf : sous son impulsion – et celle de quelques-uns de ses contemporains –, la langue arabe s'est dépoussiérée, a gagné en souplesse, en limpidité, et accéléré son processus d'émancipation des carcans qui l'étouffaient. Ce faisant, il s'est imposé comme l'un des plus significatifs réformateurs de la *Nahda*, la renaissance culturelle arabe, et comme le précurseur du mouvement moderne arabe de la fin des années 50... Y a-t-il pour autant deux Gibran, l'un révolté, l'autre spirituel ; l'un mondain, l'autre mystique ? Bien que certains essayistes aient soutenu cette thèse, rien ne permet d'y adhérer : somme toute, l'itinéraire et la pensée de Gibran apparaissent très cohérents, et la cohabitation, chez lui, d'idées ou d'attitudes différentes n'est nullement le signe d'un « dédoublement ». Tout, chez lui, se fond en une parfaite unité.

Où est aujourd'hui Gibran ? Il reviendra sans doute, puisqu'il l'a promis aux gens d'Orphalèse. Il a, à l'image de son Dieu, fusionné avec la tempête, le vent, les arbres... Et lorsque, là-haut, à Bécharré, les feux s'éteignent et que la lune, ouverte comme un œil, s'allume, ne croit-on pas

---

1. Extrait de *La Nouvelle Ere*, in *Merveilles et curiosités*.

entendre, rythmée par le *nay* du berger qui salue les étoiles, la voix envoûtante du Prophète ?

Dans *Les Ailes brisées*, au moment où l'héroïne rend l'âme, son amant se penche sur elle et lui chuchote à l'oreille ces quelques mots, simples et vrais :

« La vie est plus faible que la mort, et la mort est plus faible que l'amour... »

Adulé par des millions de lecteurs, Gibran ne croyait pas si bien le dire.

REMERCIEMENTS

Je tiens à remercier le Comité national Gibran et Wahib Keyrouz, conservateur du Musée Gibran, Katia Médawar de l'Université américaine de Beyrouth, Afifé Arsanios, ancienne attachée culturelle du Liban à Washington, Me Hyam Mallat, ancien président des Archives nationales du Liban, les poètes et journalistes Abbas Beydoun, Abdo Wazen et Henri Zogheib, pour les ouvrages et documents qu'ils ont bien voulu mettre à ma disposition. Je remercie également Beth Moore du Telfair Museum of Art, Savannah, pour son aimable coopération.

BIBLIOGRAPHIE

ŒUVRES DE GIBRAN

Œuvres complètes en arabe, Ed. Sader (5 vol.).
Encyclopédie Gibran en arabe, Ed. Nobilis (46 vol.), compre-
nant les œuvres complètes de Gibran et une série d'études
sur sa vie.
Œuvres complètes en arabe, avec des commentaires de Nazek
Saba Yared, Ed. Sader (2 vol.).

– Livres en arabe :

La Musique, 1905.
Les Nymphes des Vallées, 1906.
Les Esprits rebelles, 1908.
Les Ailes brisées, 1912.
Larme et Sourire, 1914.
Les Processions, 1919.
Les Tempêtes, 1920.
Merveilles et curiosités, 1923.

KHALIL GIBRAN

– Livres en anglais :

Le Fou, 1918.
Vingt dessins, 1919.
Le Précurseur, 1920.
Le Prophète, 1923.
Le Sable et l'Ecume, 1926.
Jésus Fils de l'Homme, 1928.
Les Dieux de la Terre, 1931.
L'Errant, 1932.
Le Jardin du Prophète, 1933.
Lazare et sa bien-aimée, 1973.
L'Aveugle, 1981.

OUVRAGES DE GIBRAN DISPONIBLES EN FRANÇAIS

Le Prophète : il existe une dizaine de traductions en français du
Prophète. On en retiendra :
– trad. par Anne Wade Minkowski, Gallimard, Folio Classique, n° 2335, 1992.
– trad. par Janine Lévy, Le Livre de Poche, n° 9685, 1993.
– trad. par Salah Stétié, La Renaissance du Livre, 1998 ;
Naufal, 1992.
– trad. par Marc de Smedt, Albin Michel, 1990.
– trad. par Jean-Pierre Dahdah, éd. du Rocher (1993) et
éd. J'ai Lu (1995).
– trad. par Paul-Jean Franceschini, FMA, 1995.
Le Prophète et *Le Jardin du Prophète,* trad. Camille Aboussouan,
Casterman, 1956 ; Points Seuil, 1992.
Le Jardin du Prophète et *Le Sable et l'Ecume,* trad. J. Lévy, éd. Du
Chêne, 1995.
Les Esprits rebelles, trad. par Evelyne Larguèche et Françoise
Neyrod, Sindbad/Actes Sud, 2000.
Les Ailes brisées, trad. par Joël Colin, Sindbad/ Actes Sud, 2001.
Le Fou, trad. par Rafic Chikhani, éd. Naufal, 1994.
– trad. par Anis Chahine, éd. Mille et Une Nuits, 1996.
Merveilles et processions (comprenant *Les Processions* et

228

Merveilles et curiosités), trad. par J.-P. Dahdah, Albin Michel, 1996.

Jésus Fils de l'Homme, trad. par J.-P. Dahdah et Maÿke Schurman, Albin Michel, 1996.

– trad. par C. Parent-Pomerleau, éd. Mortagne, 1992.

Le Sable et l'Ecume, trad. par J.-P. Dahdah et Maÿke Schurman, Albin Michel, 1990.

Le Précurseur, trad. par Cécile Brunet-Mansour et Rania Mansour, éd. Al-Bouraq, 1999.

– trad. par Thierry Gillybœuf, éd. Mille et Une Nuits, 2000.

L'Errant, trad. par Cécile Brunet-Mansour et Rania Mansour, éd. Al-Bouraq, 1999.

– Ed. Mille et Une Nuits, 1999.

Les Dieux de la Terre, trad. par Cécile Brunet-Mansour et Rania Mansour, éd. Al-Bouraq, 1999.

– Ed. La Part commune, Rennes, 2000.

L'Aveugle, trad. par Cécile Brunet-Mansour et Rania Mansour, éd. Al-Bouraq, 1999.

Lazare et sa bien-aimée, trad. par Cécile Brunet-Mansour et Rania Mansour, éd. Al-Bouraq, 1999.

Œuvres disparates et anthologies

L'œil du Prophète, anthologie réalisée par J.-P. Dahdah, Albin Michel, 1991.

Visions du prophète, anthologie réalisée par J.-P. Dahdah, éd. du Rocher, 1995.

The Treasured writings of Gibran, Castle Books, 1985.

Le Passant d'Orphalèse (extraits du *Prophète*) avec des calligraphies de Hassan Massoudy, éd. Alternatives, 1996.

Kalimat Gibran (Paroles), anthologie réalisée par Antonios Bachir, Le Caire, 1927 ; Beyrouth, 1983.

Les Trésors de la sagesse, éd. Mortagne, Québec, 1988.

Pensées et méditations, éd. Mortagne, Québec, 1988.

La Voix du Maître, éd. Mortagne, Québec, 1988.

Les Secrets du cœur, éd. Mortagne Poche, Québec, 1993.

La Voix de l'éternelle sagesse, éd. Dangles, 1978 ; éd. J'ai Lu, 1997.

Paroles, bilingue arabe-français, éd. Al-Bouraq, 1998.
Mon Liban, suivi de Satan, traduction et préface d'Anne Juni, éd. La Part commune, Rennes, 2000.

ARCHIVES ET INÉDITS

Actes de la première conférence internationale sur Gibran, Khalil Gibran Research and Studies Project, University of Maryland, College Park, décembre 1999.
Archives de l'Université de North Carolina, Chapel Hill (Southern Historical Collection).
Archives et collection du Musée Gibran à Bécharré.
Archives du quotidien *An Nahar.*
Archives du quotidien *Al Hayat.*
Archives du quotidien *As Safir.*
Archives du quotidien *L'Orient - Le Jour.*
Archives Nationales du Liban.
Collection du Telfair Museum of Art, Savannah.
Lettres inédites de Gibran à Helena Ghostine.

CORRESPONDANCES ET JOURNAUX INTIMES

BONNET Kathleen : *Je veille sur ton bonheur,* citations tirées de la correspondance Gibran-Haskell, Librairie Samir Editeur, Liban, 1996.
BUSHRUI S. et KUZBARI S.H. : *Blue Flame : The Love letters of Kahlil Gibran and May Ziadé,* Harlow, Longman, 1983.
La Voix ailée, éd. Sindbad/Actes Sud, 1982.
Love letters, Oneworld, Oxford-Boston, 2000.
Lettres d'amour de Khalil Gibran à May Ziadé, Librairie de Médicis, 1990.
FERRIS Anthony : *Autoportrait,* éd. de Mortagne, Québec, 1988.
HILU Virginia : *Beloved Prophet : the Love Letters of Kahlil Gibran and Mary Haskell, and her Private Journal,* A. Knopf, New York, 1972.
HONEIN Riad : *Les lettres perdues de Gibran* (en arabe), Naufal, Beyrouth, 1983.

JABRE Jamil : *Les lettres de Gibran* (en arabe), Dar Beyrouth, 1951.

PEABODY Josephine Preston : *Diary and letters,* éd. Christina Hopkinson Baker, Boston, 1924.

SALEM OTTO Annie : *The love letters of Kahlil Gibran and Mary Haskell,* Southern Printing Company, Houston 1967.

OUVRAGES ET ARTICLES SUR GIBRAN

ABBOUD Maroun : *Ancêtres et anciens* (en arabe), Beyrouth, 1963.

ADONIS : « Préface » au *Prophète,* Folio classique, n° 2335, Gallimard, 1992.

ATTWE Fawzi : *Gibran Khalil Gibran, un génie du Liban,* Dar al fikr al arabi, Beyrouth, 1989.

BOULOS Mitri Sélim : *Enigmes sur Gibran* (en arabe), éd. Agate, Beyrouth, 2001.

BOUSTANI Fouad Ephrem : *Avec Gibran* (en arabe), Beyrouth, 1983.

BRAKS Ghazi : *Gibran Khalil Gibran, étude psychanalytique de son œuvre, son art et sa personne,* Dar al Kitab al loubnani, Beyrouth, 1981.

BUSHRUI Souheil : « Gibran, le Prophète du Liban », *Le Magazine Littéraire,* n° 359, novembre 1997.

BUSHRUI Souheil et JENKINS Joe : *Kahlil Gibran, Man and poet,* Oneworld, Oxford-Boston, 1998 ; paru en français aux éditions Véga, Paris, 2001.

CECCATTY René de : « Khalil Gibran, les prophéties d'un esthète », *Le Monde,* 19 février 1999.

CHAHINE Anis : *L'amour et la nature dans l'œuvre de Khalil Gibran,* Middle East Press, Beyrouth, 1979.

CHALFOUN Khalil : *La figure de Jésus-Christ dans la vie et l'œuvre de Gibran Khalil Gibran,* thèse de 3ᵉ cycle, Institut Catholique, Paris, 1986.

CHIKHANI Rafic : *Religion et société dans l'œuvre de Gibran Khalil Gibran,* thèse d'Etat de l'Université de Strasbourg, 1983 ; Publications de l'Université libanaise, Beyrouth, 1997.

CHOUEIRI Raja : *Bécharré, Gibran et le gibranisme*, éd. Félix Beryte, 1999.

COLLECTIF : *Kahlil Gibran and Amin Rihani, prophets of Lebanese-American Literature*, Notre Dame University, Liban, 1999.

COMEIR Youhanna : *Gibran et Nietzsche*, éd. Naufal, 1997.

DAHDAH Jean-Pierre (sous la direction de) : « Khalil Gibran, poète de la sagesse », *Question De*, n° 83, Albin Michel, Paris, 1990.

Khalil Gibran : une biographie, Albin Michel, Paris, 1994.

DAHER YACOUB May : « Soixante-dix ans après la disparition de Gibran», *Al Hayat*, 12 avril 2001.

DAYE Jean : *L'Idéologie de Gibran* (en arabe), Sourakia House, Londres, 1988.

Lumières sur la pensée politique et sociale de Gibran et de Saïd Takieddine, conférence prononcée à Beyrouth, le 13 novembre 2001.

FRANCIS Antoine : *Gibran l'amoureux* (en arabe), Dar As-Sayad, Beyrouth, 1987.

GHORAYEB Rose : *Gibran dans ses écrits* (en arabe), Beyrouth, 1969.

GHOUGASSIAN J.-P. : *Khalil Gibran : L'envol de l'esprit*, éd. de Mortagne, Québec, 1986.

GIBRAN Kahlil et Jean : *Kahlil Gibran. His Life and Works*, Interlink Books, New York, 1ʳᵉ éd. 1974 ; 2ᵉ éd. 1981.

Introduction à *Dramas of life : Lazarus and his beloved and The Blind*, Westminster Press, Philadelphia, 1982.

HABIB Boutros : *La dialectique de l'amour et de la mort dans l'œuvre arabe de Gibran* (en arabe), Beyrouth, 1995.

HAGE Georges Nicolas : *William Blake and Kahlil Gibran*, State University of New York, Binghamton, 1980.

HATEM Jad : *La mystique de Gibran et le supra-confessionnalisme religieux des chrétiens d'Orient*, éd. Deux Océans, Paris 1999.

« Gibran et Kazantzakis », conférence organisée par la Société des Amis de Nikos Kazantzakis, Beyrouth, 1999.

HAWI Khalil : *Khalil Gibran : His Background, Character and Works*, Université américaine de Beyrouth, 1963.

HONEIN Riad : *L'autre visage de Gibran* (en arabe), Dar an-Nahar, Beyrouth, 1981.

JABRE Jamil : *Gibran dans son époque et son œuvre littéraire et artistique* (en arabe), éd. Naufal, Beyrouth, 1983.
Gibran dans sa vie tumultueuse (en arabe), éd. Naufal, Beyrouth, 1981.
« Gibran entre Jésus et Nietzsche », *Travaux et jours*, n° 16, janvier-mai 1965.

KARAM Antoine Ghattas : *La vie et l'œuvre littéraire de Gibran Khalil Gibran,* Dar an-Nahar, Beyrouth, 1981.

KAYROUZ Wahib : *Gibran dans son musée,* éd. Bacharia, 1996.
La dialectique unificatrice dans la pensée de Gibran, éd. Bacharia, 1983.
La pensée de Gibran (en arabe), 2 vol., éd. Bacharia, 1984.
La Procession de la Matrice Vierge (entretiens), Le Pinacle de Beyrouth, 1999.

KHALED Amin : *Esquisses d'une étude sur Gibran,* Imprimerie catholique, Beyrouth, 1933.

KHALED Ghassan : *Gibran le philosophe* (en arabe), éd. Naufal, Beyrouth, 1974.

KHARRAT Souad : *Gibran le prophète, Nietzsche le visionnaire,* Triptyque, 1993.

KHOUEIRY Antoine : *Gibran, le génie libanais* (en arabe), Beyrouth, 1981.

KHOURY Raif Georges : *Passé et présent de la culture arabe, Tradition, modernité et conservation d'identité selon Gibran,* éd. Deux mondes, Neckarhausen, 1997.

MAALOUF Amin : « Préface » au *Prophète,* Le Livre de Poche, n° 9685, 1993.

MAALOUF Ruchdi : *Gibran Khalil Gibran,* Conférence du Cénacle libanais, n° 10-11, 1948.

MASSOUD Habib : *Gibran vivant et mort* (en arabe), éd. Rihani, 2ᵉ éd., 1966.

NAAMAN Abdallah : « Du côté du 14 avenue du Maine » (Gibran à Paris), *Arabies,* octobre 1993.

NAIMEH Mikhaïl : *Gibran Khalil Gibran, sa vie et son œuvre* (en arabe), éd. Naufal, Beyrouth, 1985.
Sab'oun (en arabe), éd. Naufal, Beyrouth, 1977-1978.

NAIMEH Nadim : *The Lebanese Prophets of New York,* Université américaine de Beyrouth, 1985.

NAJJAR Alexandre : *Gibran à Paris*, Livret de l'exposition présentée par le Ministère libanais de la Culture au 22ᵉ Salon du Livre de Paris (22-27 mars 2002).

NORIN Luc : *Autour de Khalil Gibran*, La Renaissance du livre, Belgique, 2002.

RIHANI Amin : *Souvenir de Gibran* (en arabe), éd. Sader, Beyrouth, 1932.

SALEM OTTO Annie : *The Parables of Khalil Gibran ; an interpretation of his writings and his Art*, Citadel Press, New York, 1963.

SAYEGH Toufic : *Lumières nouvelles sur Gibran* (en arabe), Riad el Rayyes Books, Londres, 1990 (2ᵉ éd.).

SHAYBOUB Edvick : *Gibran à Paris : Souvenirs de Youssef Hoayek*, éd. FMA, Beyrouth, 1995.

SHAHADI Walid : *A Prophet in the making*, Université américaine de Beyrouth, 1991.

SHERFAN Andrew Dib : *Khalil Gibran : The Nature of Love*, New York, Philosophical Library, 1971.

STETIE Salah : « Préface et présentation », in *Le Prophète*, La Renaissance du Livre, 1998.

TAOUQ Boulos : *La Personnalité de Gibran dans ses dimensions constitutives et existentielles*, Thèse de doctorat, Strasbourg, 1984 ; éditions Bacharia, 1985 (3 vol.).

TAWIL Nahida : *La personne de Gibran Khalil Gibran, étude psychanalytique* (en arabe), Beyrouth, 2ᵉ éd. 1983.

WADE MINKOWSKI Anne : « Un autre Gibran », postface au *Prophète*, Gallimard, Folio Classique, n° 2335, 1992.

WATERFIELD Robin : *Khalil Gibran, un prophète et son temps*, Fides, 2000.

YAMMOUNI Joseph : *Gibran Khalil Gibran : l'homme et sa pensée philosophique*, éd. de l'Aire, Lausanne, 1982.

YOUNG Barbara : *This Man from Lebanon : A study of Khalil Gibran*, A. Knopf, New York, 1945.

ZACCA Najib : *Littérature libanaise contemporaine*, Université Saint-Esprit de Kaslik, Liban, 2002.

ZOGHEIB Henri : « Le phénomène Gibran aux Etats-Unis », *Arabies*, octobre 1993.

« Avec Gibran à Marjhine », *An Nahar*, 15 et 17 octobre 2001.

SUR LA PEINTURE DE GIBRAN

KAYROUZ Wahib : *Le monde pictural de Gibran* (en arabe), Liban, 1982.

SULTAN Fayçal : *Gibran le peintre*, *L'Orient-Le Jour*, 6, 11, 13 et 15 mai 1981.

TARRAB Joseph : *Khalil Gibran, horizons du peintre*, Les Documents de l'Agenda culturel, Beyrouth, 2000.

Kahlil Gibran, Horizons of the painter, Catalogue du Musée Nicolas-Sursock, exposition du 17 décembre 1999 au 31 janvier 2000.

Khalil Gibran, artiste et visionnaire, Institut du Monde Arabe – Flammarion, 1998.

A PROPOS DE FRED HOLLAND DAY

PARRISH S.M. : *Currents of the Nineties in Boston and London : Fred Holland Day, Louise Imogen Guiney and their Circle*, Garland, New York, 1987.

ROBERTS Pam (sous la direction de) : *F. Holland Day*, Van Gogh Museum, Amsterdam, 2001.

A PROPOS DE MAY ZIADÉ

BOULOS Mitri Sélim : *Gibran et May* (en arabe), éd. Agate, Beyrouth, 2001.

GHORAYEB Rose : *May Ziadé* (en arabe), éd. Naufal, 1978.

JABRE Jamil : *May et Gibran* (en arabe), Beyrouth, 1950.

May et Gibran : une histoire d'amour (en arabe), éd. Sader, 2001.

KOUZBARY Salwa Haffar : *May Ziadé* (en arabe), 2 vol., éd. Naufal, 1987.

TABLE

N° d'édition : 777. N° d'impression : 024198/4.
Dépôt légal · septembre 2002.

Imprime en France